LE MASQUE
Collection de romans d'aventures
créée par
ALBERT PIGASSE

LE JEUNE HOMME ET LA MORT

Née à Londres en 1930, Ruth Rendell est d'abord journaliste, puis publie son premier roman, *Un amour importun,* en 1964. Elle est aujourd'hui un des plus grands auteurs de romans policiers, à mi-chemin entre Agatha Christie et Patricia Highsmith.

Elle a obtenu un Edgar pour *Ces choses-là ne se font pas,* le Prix du meilleur roman policier anglais avec *Meurtre indexé* en 1975, le Prix de la Crime Writers Association pour *L'Enveloppe mauve* en 1976, le National Book Award en 1980 pour *Le Lac des Ténèbres,* et le Silver Dagger Award en 1985 pour *Un enfant pour un autre.* En France, elle a obtenu le Prix du Roman d'Aventures en 1982 pour *Le Maître de la lande.*

DU MÊME AUTEUR

DANS LE MASQUE :

QUI A TUÉ CHARLIE HATTON ?
FANTASMES
LE PASTEUR DÉTECTIVE
L'ANALPHABÈTE
L'ENVELOPPE MAUVE
CES CHOSES-LÀ NE SE FONT PAS
ÉTRANGE CRÉATURE
LE PETIT ÉTÉ DE LA SAINT-LUKE
REVIENS-MOI
LA BANQUE FERME À MIDI
UN AMOUR IMPORTUN
LE LAC DES TÉNÈBRES
L'INSPECTEUR WEXFORD
LE MAÎTRE DE LA LANDE
(Prix du Roman d'Aventures 1982)
LA FILLE QUI VENAIT DE LOIN
LA FIÈVRE DANS LE SANG
SON ÂME AU DIABLE
MORTS CROISÉES
UNE FILLE DANS UN CAVEAU
ET TOUT ÇA EN FAMILLE...
LES CORBEAUX ENTRE EUX
UNE AMIE QUI VOUS VEUT DU BIEN
LA POLICE CONDUIT LE DEUIL
LA MAISON DE LA MORT

DANS LE CLUB DES MASQUES :

QUI A TUÉ CHARLIE HATTON ?
L'ANALPHABÈTE
LA DANSE DE SALOMÉ
MEURTRE INDEXÉ
LA POLICE CONDUIT LE DEUIL
LA MAISON DE LA MORT
LE PETIT ÉTÉ DE LA SAINT-LUKE
L'ENVELOPPE MAUVE

Ruth Rendell

LE JEUNE HOMME ET LA MORT

Traduit de l'anglais par Jean-Michel Alamagny

Librairie des Champs-Élysées

Ce roman a paru sous le titre original :

THE FACE OF TRESPASS

Avant

A la fin du banquet, son discours terminé, le nouveau député se rassit. Il était habitué à parler en public, bien sûr, mais les applaudissements de ces hommes qui avaient été ses camarades d'école l'émurent. Le cigare que lui offrit le président de l'Amicale des Anciens de Feversham vint à point pour masquer un moment son embarras: le temps qu'on le lui allume, il avait quelque peu repris contenance.

— J'ai été bien, Francis? demanda-t-il au président.

— Parfait. Pas de platitudes, pas d'histoires cochonnes: ça change tellement, d'entendre quelqu'un partir en croisade contre les fléaux de la société! Dommage que la peine de mort n'existe plus, tu aurais pu l'abolir.

— J'espère que je n'ai pas trop fait père-la-vertu, glissa le député.

— Mon vieil Andrew, vous l'êtes toujours un peu, vous autres gens de gauche. Mais ne t'inquiète pas pour ça et reprends plutôt un verre de brandy. A moins que tu ne préfères, euh... circuler un peu?

Andrew Laud refusa le brandy et se dirigea vers la table où son ancien maître d'internat était assis. Mais avant d'y être parvenu, il sentit quelqu'un lui taper sur l'épaule.

— Félicitations, Andy. Pour le discours et pour ton succès aux dernières partielles.

— Jeff Denman, fit le parlementaire après un instant de réflexion. Enfin quelqu'un que je connais. Dieu merci, car je me voyais déjà obligé de me coltiner le vieux Scrimgeour, là-bas, et cette horreur de Francis Croy. Comment vas-tu ? Qu'est-ce que tu deviens ?

— Ça va, répondit Jeff avec un large sourire. Maintenant que je vais sur la trentaine, ma famille commence à se remettre de la honte de me voir conduire une camionnette pour gagner ma vie. Alors s'il te prend un jour l'envie de vivre parmi tes administrés, à ton service pour le déménagement.

— Ça se pourrait, en effet. On va boire un coup ? Il n'y a que des jeunots, ici ! Pas le moindre visage familier. Je pensais que Malcolm Warriner viendrait peut-être, ou ce type, là, David quelque chose, avec qui je n'arrêtais pas de m'enguirlander pendant les débats contradictoires du club.

— Mal est au Japon, répondit Jeff en le suivant au bar. Ce serait un de tes électeurs, sinon. Ce qui me fait penser à un autre qui n'est pas ici ce soir mais qui est aussi dans la circonscription de la forêt de Waltham : tu te rappelles Gray Lanceton ?

Le député, quand on l'eut servi, se retourna et émergea de la cohue avec une chope de bière blonde dans chaque main.

— Il devait être une année après nous. Un grand type brun qui n'avait pas supporté le remariage de sa mère et qui avait menacé de se suicider, c'est ça ? Il paraît qu'il a écrit un roman.

— *Le Vin de l'étonnement*, dit Jeff. Un ouvrage manifestement autobiographique sur une sorte d'Œdipe hippie. Pendant quelque temps, il a partagé l'appartement dans lequel j'étais à Notting Hill avec Sally, mais il s'est arrêté d'écrire. Et quand il a commencé à tirer le diable par la queue, il est allé chez Mal pour ne pas payer de loyer. Une déception amoureuse est venue se greffer par là-dessus, je crois.

— Il habite dans ma circonscription?

Jeff esquissa un sourire.

— Tu dis « ma » circonscription comme un jeune marié parle de *sa* femme, avec un mélange de timidité et de fierté.

— Je sais. Mais pendant des semaines, j'ai frémi à l'idée d'être battu à l'élection et quand même obligé de venir vous parler, à vous autres : j'aurais eu l'air fin ! Ça lui plaît, d'habiter là-bas dans la forêt?

— Il dit que ça le déprime. J'y suis allé : c'est dingue de penser qu'il existe encore des trous pareils à moins de trente bornes de Londres. Il vit dans un petit cottage en bois, tout au fond d'un chemin forestier en cul-de-sac, Pocket Lane.

— Je crois que je connais. Je me demande s'il a voté pour moi, ajouta le député d'un air pensif.

— Gray? Il ne devait même pas être au courant qu'il y avait une partielle, alors aller voter, tu parles ! Je ne sais pas ce qui lui est arrivé, mais c'est devenu une sorte d'ermite. Il n'écrit plus. Dans un sens, il fait partie de ces gens que tu t'es engagé à aider : les inadaptés, les paumés.

— Il faudra que j'attende qu'il sollicite cette aide.

— Sûr que tu auras déjà assez de pain sur la planche sans t'occuper de Gray Lanceton. Bon, je vois Scrimgeour qui rapplique avec le principal à sa suite. Il est peut-être temps que je m'éclipse?

— Mon Dieu. Oui, hélas. Je te passerai un coup de

fil, Jeff. On pourrait déjeuner ensemble au Parlement, un de ces quatre ?

Le député posa son verre. Il prit cet air pénétré, un peu niais même, qu'on réserve d'ordinaire aux enfants en bas âge ou aux vieillards séniles, mais qui semblait également de mise pour ces deux enseignants sous la redoutable autorité desquels il avait autrefois dû ployer.

1

C'était début mai, aux alentours du 5. Gray n'était jamais sûr de la date. Il n'avait pas de calendrier, n'achetait jamais le journal et avait revendu son poste de radio. Pour se repérer, il demandait au laitier qui passait régulièrement à midi pile. L'heure n'était pas un problème, pourtant, car il possédait toujours la montre qu'elle lui avait donnée. Il avait revendu un tas de choses, mais pas celle-là.

— Quel jour est-on?

— Mardi 4 mai, répondit le laitier en lui tendant une pinte de lait homogénéisé. Une aussi belle journée, ça vous rend heureux de vivre. (Il décocha un coup de pied en direction des pousses de fougère qui pointaient par centaines, recroquevillées comme des points d'interrogation vert pâle.) Vous devriez débarrasser votre jardin de tout ça et mettre des plantes annuelles. Des capucines, tenez, c'est joli et ça prolifère comme de la mauvaise herbe.

— Autant garder la mauvaise herbe, alors.

— Toutes ces fougères, moi, ça me filerait le bourdon. Mais chacun ses idées, hein? Le monde serait triste, si on était tous pareils.

— Il l'est déjà assez comme ça.

Le laitier, toujours prêt à rire, se tordit.

— Vous êtes un rigolo, vous, Mr Lanceton. Bon, faut que je poursuive mon chemin, même s'il ne mène pas à Rome. Au revoir.

— Au revoir, répondit Gray.

Les arbres de la forêt, qui s'avançaient jusqu'à la lisière du jardin, en pleine feuillaison, faisaient miroiter leur chatoiement vert comme un voile de lumière contre le ciel. Il faisait anormalement chaud, pour la saison. Sous le soleil, le tronc luisant des hêtres prenait des couleurs de peaux de phoques. Tiens ! L'image est bonne, se dit-il en songeant que du temps où il était écrivain, il l'aurait notée pour la réemployer. Un jour peut-être, quand il arriverait à se ressaisir, à avoir un peu d'argent, quand il se serait définitivement débarrassé d'elle... Bon, mieux valait ne pas penser à ça maintenant.

Il venait juste de se lever. Laissant la porte ouverte pour faire entrer un peu d'air et de chaleur dans cet intérieur humide et froid, il apporta le lait jusqu'à la cuisine et mit la bouilloire sur le feu. La pièce était petite et très sale. Le dallage, légèrement affaissé, était recouvert d'un morceau de lino dont les bords se relevaient comme une tranche de pain de mie rassis. En attendant que son eau chauffe, il jeta un coup d'œil autour de lui. Les installations avaient dû constituer le summum du confort à la fin du siècle dernier : un évier en grès, un fourneau hors d'usage, une baignoire en émail recouverte d'un couvercle en bois. La bouilloire mit longtemps à bouillir car elle était prise dans une gangue de crasse calcinée, et le brûleur du gaz n'était pas très propre lui non plus. A l'intérieur du four, c'était encore pire. Quand il en ouvrait la porte, une caverne noire bâillait devant lui. Combien de fois ne l'avait-il pas allumé, cet hiver, et n'était-il pas resté devant, dans son fauteuil Windsor, à regarder les petites flammes bleu et or trembloter, avec la tentation de les éteindre, de glisser sa tête dans la bouche béante et d'attendre. D'attendre simplement la mort — « de faire quelque chose de fou », comme dirait Isabel.

Et puis non, le moment était passé, pour cela. Il ne se tuerait pas davantage pour elle qu'il ne l'avait fait pour sa mère et Honoré, et le temps viendrait où il ne penserait plus à elle que comme il pensait à eux : avec une indifférence ponctuée d'irritation. Ce qui n'était pourtant pas encore le cas : elle hantait toujours ses souvenirs, partageait sa couche la nuit, s'éveillait avec lui le matin, s'accrochait à lui pendant les longues journées vides. Souvenirs qu'il essayait de noyer dans les tasses de thé et les livres de la bibliothèque de prêt, mais qu'il était loin d'avoir exorcisés.

L'eau se mit à bouillir. Il prépara son thé, versa du lait sur des galettes de Weetabix et s'installa sur le couvercle de la baignoire pour prendre son petit déjeuner. Le soleil était au zénith. Dans l'air confiné de la cuisine — les fenêtres n'avaient pas été ouvertes depuis des lustres —, des grains de poussière dansaient et transformaient l'unique rayon en une hampe de lumière quasi tangible qui lui brûlait le cou et les épaules. Il prenait son déjeuner à midi, à l'heure où s'estompent les humeurs destructrices.

C'est à ce moment qu'elle téléphonait le plus souvent. Et aussi le jeudi soir, bien sûr. Alors qu'il s'était plus ou moins fait à l'idée de ne plus la voir, il n'arrivait pas à résoudre le problème du téléphone. C'était une hantise, le téléphone, plus encore que le reste. Car il ne voulait pas lui parler, surtout pas, et en même temps il le désirait passionnément. Il redoutait qu'elle appelle tout en sachant qu'elle ne le ferait pas. Quand il se sentait trop déchiré entre son désir et son refus, il décrochait. Le téléphone vivait dans cette horrible petite pièce qu'Isabel appelait le « salon ».

« Vivait », et pas seulement se trouvait ou était, car, bien qu'il restât sans sonner pendant des jours d'affilée, il lui paraissait animé, vibrant, presque frémissant de vie. Et lorsqu'il laissait le combiné décroché, le jeudi soir, l'appareil semblait contrarié, frustré, fâché de se voir ainsi neutralisé, bouche et oreilles pendantes, inutiles, au bout de leur fil. Gray ne se rendait au « salon » que pour répondre aux appels — il ne pouvait se permettre d'en donner lui-même — et encore lui arrivait-il de laisser décroché plusieurs jours de suite.

A la fin de son petit déjeuner, il se versa une seconde tasse de thé et se dirigea vers la porte du « salon » pour vérifier qu'il avait décroché. Oui. Il avait dû le faire samedi ou dimanche, sans doute. Le téléphone le contemplait comme un petit bouddha accroupi et béat. Sa mémoire lui jouait des tours, depuis cet hiver. Tel un vieillard, il parvenait à se rappeler le passé, mais pas les événements les plus récents. Tel un vieillard, il oubliait quel jour on était et ce qu'il avait à faire. Non qu'il fût débordé : il restait pratiquement inactif toute la journée.

Il ouvrit la fenêtre. La forêt verdoyait, éclaboussée de soleil. Il but son thé, assis dans un fauteuil tapissé d'un des premiers — sinon du tout premier — tissus en plastique, un skaï marron et luisant usé jusqu'à la trame. Il n'y avait qu'un seul autre fauteuil. Entre les deux, une table basse aux pieds en fonte, dont le plateau était marqué de brûlures de cigarette — du temps où il pouvait s'en acheter — et de ronds blanchâtres laissés par le fond de la bouilloire. Un tapis turc couvert de taches, si mince qu'il plissait au moindre pas, s'étalait au milieu du sol. Outre cela, il n'y avait guère que les clubs de golf de Mal, appuyés contre le mur sous la tablette du téléphone, et le poêle à mazout sur lequel elle avait brisé son flacon de parfum, et qui, tout l'hiver, à chaque fois qu'il était allumé, avait mêlé cette odeur si lourde de souvenirs à ses propres effluves.

Il chassa cette idée et prit son thé. Il aurait aimé avoir une cigarette ou, mieux encore, un paquet de vingt king size. Presque entièrement dissimulée par le sac de golf sous lequel il l'avait remisée, il apercevait la housse de sa machine à écrire. Il serait faux de dire qu'il ne s'en était pas servi depuis son arrivée dans ce cottage que Mal appelait sa « bicoque ». Il l'avait utilisée dans un but auquel il tenait encore moins à penser qu'à elle, bien que les deux fussent indissociablement liés. Evoquer l'un était évoquer l'autre. Mieux valait songer à la boum de Francis, à quitter ce trou pour aller à Londres, ne serait-ce qu'un weekend, à y rencontrer une fille pour la remplacer, une fille « au regard aussi sensé mais plus tendre, aux lèvres aussi douces mais fidèles : celle-là, par ma foi, fera l'affaire ». A rassembler un peu d'argent, aussi, à trouver une chambre, à sortir enfin de cet abattement, de ce néant, peut-être même à se remettre à écrire...

Le téléphone émit ce mauvais petit déclic qui annonce une communication, une dizaine de secondes à l'avance. En dix secondes, il avait le temps d'espérer que l'appareil allait effectivement sonner tout en priant le ciel que le bruit vînt d'ailleurs — des lames vermoulues du parquet ou de quelque chose de l'autre côté de la fenêtre. Il sursautait toujours lorsque la sonnerie retentissait. C'était plus fort que lui, bien qu'il fût parvenu à considérer un peu sa réaction avec l'esprit d'un convalescent devant ses maux de tête et frissons résiduels : ça passera ; sa raison et son médecin l'en ont convaincu ; en attendant, il lui faut les supporter comme d'inévitables séquelles au sortir d'une longue maladie.

Bien sûr, ce n'était pas elle. La voix n'avait pas la

même raucité ni la même lenteur, elle était aiguë, au contraire. C'était Isabel.

— Tu as l'air fatigué, mon grand. J'espère que tu manges normalement. J'appelais juste pour voir comment ça allait.

— Comme d'habitude.

— Tu travailles beaucoup ?

Là, il ne répondit pas. Elle savait bien qu'il n'avait pas travaillé un seul jour, une seule heure. Personne ne l'ignorait, il était piètre menteur. Mais même raconter des bobards et prétendre qu'il bossait n'avançait à rien : on s'enquérait alors de « sa » date de sortie, de « son » sujet, et on s'extasiait. S'il disait la vérité et avouait qu'il ne faisait rien, on le conjurait de ne pas se laisser aller et on lui proposait de l'aider à trouver du boulot. Il préféra donc rester silencieux.

— Tu es encore là, dis ? fit Isabel. Ah ! tant mieux, je croyais qu'on nous avait coupés. J'ai reçu une délicieuse lettre d'Honoré, ce matin. Il est formidable avec ta mère, non ? Parce que, d'une certaine manière, ça paraît toujours plus difficile quand c'est un homme qui s'occupe d'une invalide.

— Je ne vois pas pourquoi.

— Tu comprendrais si tu l'avais sur les bras, Gray. Tu as eu une sacrée chance que ta mère se remarie, et avec un homme aussi merveilleux. Imagine un peu que tu aies dû t'occuper d'elle.

C'était presque comique : il n'arrivait déjà pas à s'occuper de lui-même.

— Tu ne pousses pas un peu, Isabel ? J'avais quinze ans quand elle a épousé Honoré. Je pourrais imaginer aussi que mon père ne soit pas mort, que je ne sois pas né ou que ma mère n'ait jamais eu d'attaque, à ce compte-là.

Comme toujours lorsque la conversation devenait

« sérieuse », selon son expression, elle changea de sujet.

— Au fait, je ne t'ai pas dit : je pars pour l'Australie.

— C'est bien. Pour quoi faire ?

— Mon amie Molly, celle avec qui je tenais mon agence de dactylographie, elle vit à Melbourne, maintenant. Elle m'a écrit pour me demander d'y aller, alors autant le faire avant que je sois trop vieille. J'ai fixé mon départ au début de la première semaine de juin.

— Je suppose que je ne te verrai pas avant ton départ, alors ? fit Gray non sans espoir.

— J'essaierai quand même de faire un saut si je trouve un moment. C'est si beau, si paisible, là où tu es. Tu ne peux pas savoir comme je t'envie. (Bon sang ! songea Gray, elle qui habite un appartement situé au-dessus des boutiques d'une rue passante de Kensington. Peut-être que...) Je n'aime rien tant que passer un après-midi au calme dans ton jardin. Je devrais plutôt dire dans ta jungle, ajouta-t-elle gaiement.

— Ton appart va être inoccupé, alors ?

— Tu parles ! Il va être investi par les décorateurs qui devront y abattre un boulot monstre.

Il regretta d'avoir posé sa question, car Isabel se lança avec force adjectifs dans le détail des transformations, travaux d'électricité et de plomberie qui allaient être entrepris en son absence. Pendant ce temps au moins, se consola-t-il en posant délicatement le combiné sur l'étagère, elle ne le tarabusterait pas et ne ressasserait pas les souvenirs du temps où son avenir semblait si prometteur. Elle ne l'avait pas encore interrogé sur l'état de ses finances, ni sur la longueur de ses cheveux. S'assurant qu'il entendait toujours à distance son babil sortir imperturbablement du téléphone, il se regarda dans le miroir victorien, carré de glace aussi opaque que si on venait de souffler ou même de cracher dessus. Raspoutine jeune, se dit-il. Entre ses cheveux qui retombaient sur ses épaules et sa barbe hirsute — il avait arrêté de se raser à Noël —, ses yeux apparaissaient mélancoliques et sa peau était marquée de rougeurs, résultat probable d'un régime qui aurait mené droit au scorbut n'importe quel individu de santé moins robuste.

Le visage reflété par le miroir avait fort peu de ressemblance avec la photo qui figurait sur la jaquette du *Vin de l'étonnement*. Cette dernière montrait plutôt celui d'un Rupert Brooke des derniers jours. De Brooke à Raspoutine en cinq mois, songea-t-il en reprenant le téléphone pour attraper au vol la fin de la dernière phrase d'Isabel.

— ... et double vitrage dans chacune de mes pièces, mon petit Gray.

— Je suis impatient de voir ça. Dis, ça ne t'ennuie pas, si je te quitte maintenant ? Je dois sortir.

Elle n'aimait pas qu'on la coupe dans son élan, alors qu'elle était partie pour des heures.

— Bon, très bien, mais je voulais juste te dire...

En arrière-plan dans l'écouteur, il entendit sa chienne aboyer. Voilà qui la détournerait.

— Au revoir, Isabel, fit-il d'une voix ferme.

Avec un soupir de soulagement lorsqu'elle eut enfin raccroché, il fourra dans un sac les bouquins qu'il avait empruntés à la bibliothèque et partit pour Waltham Abbey.

Tirer un chèque en liquide était l'événement le plus traumatisant de la semaine. Pendant six mois, il avait vécu — au rythme de quatre livres hebdomadaires — des droits qu'il avait perçus en novembre : deux cent cinquante misérables livres sterling. Si on ajoutait à tout ça les factures de gaz et d'électricité, plus les dépenses du Noël passé chez Francis, il ne devait plus rester grand-chose sur son compte. Peut-être même était-il déjà à découvert, ce qui expliquait pourquoi il s'attendait, crispé et mal à l'aise, à ce que l'employé se lève et, après lui avoir décoché un regard méprisant, se retire dans les entrailles de quelque bureau pour consulter ses supérieurs.

Cela ne s'était encore jamais produit, et ne se produisit pas cette fois non plus. Le chèque fut tamponné et on lui tendit ses quatre billets d'une livre. Gray en dépensa un au supermarché pour s'approvisionner en pain, en margarine, en boîte de viande en gelée et en pâtes alimentaires. Puis il se rendit à la bibliothèque.

A son arrivée à la « bicoque », il avait décidé, comme le font ceux qui se retirent momentanément du monde, de s'attaquer à tous ces pavés qu'il n'avait jamais eu le temps de lire : Gibbon et Carlyle, l'*Histoire de Rome* de Mommsen et *Grandeur de la République de Hollande* de Motley. Mais au début, il en avait manqué, de temps, car elle avait occupé toutes ses pensées. Et quand elle était partie, quand il l'eut éconduite, il était retombé dans le ronron de ses bons vieux bouquins préférés. Après quatre mois d'abstinence, il arriverait tout juste à relire *Autant en emporte le vent*. Il le prit donc, ainsi que les histoires de fantômes du Dr James. La semaine prochaine, ce serait sans doute au tour de *Jane Eyre*, de Sherlock Holmes et du Dr Thorndyke.

La fille de l'accueil était nouvelle. Au regard qu'elle lui adressa, il comprit qu'elle aimait les barbus mal lavés qui n'avaient rien d'autre à faire que de glander dans les bibliothèques. Gray risqua un regard en retour, mais s'arrêta à mi-course. Ce n'était pas la peine. Ce n'était jamais la peine. Elle avait les doigts boudinés, les ongles rongés, un bourrelet de graisse autour de la taille et — il l'entendit pendant qu'elle s'activait entre les étagères — le rire strident. Ses lèvres étaient douces, mais celle-là ne ferait pas l'affaire.

Les livres et les boîtes de conserve étaient lourds, et il avait du chemin à faire pour rentrer. Pocket Lane était une trouée dans la forêt, un long tunnel ne menant nulle part. Un panneau, en sens inverse, indiquait « Londres 25 km ». Cela le surprenait toujours, que le cœur de Londres ne se trouve qu'à vingt-cinq bornes de ce trou perdu au fin fond de la campagne. Trou d'ailleurs plus calme encore que la campagne proprement dite, car ici, personne ne travaillait dans les champs, aucun tracteur ne passait et nul mouton ne broutait. Un silence de lumière figée régnait autour de lui, rompu seulement par le gazouillement des oiseaux. Il trouvait extraordinaire que des gens puissent venir vivre ici de leur plein gré, y acheter des maisons, payer des impôts locaux, s'y *plaire*. En balançant son sac, il passa devant la première de ces habitations, la ferme des Willis — qui n'avait de ferme que le nom car ils ne cultivaient rien — avec ses délicieuses pelouses et ses plates-bandes de devanture de fleuriste, où les tulipes en uniforme rouge et or étaient alignées comme pour la parade. Venait ensuite le cottage de miss Platt, le petit frère de la « bicoque », mais en chic, qui montrait ce qu'une bonne couche de peinture et un peu d'entretien pouvaient faire sur des bardeaux. Enfin, avant que ne commence le sentier argileux sillonné d'ornières qui s'enfonçait dans la forêt, la demeure retirée, aux volets clos, de Mr Tringham. Personne avec qui échanger deux mots, pas le moindre mouvement de rideau. Ils auraient aussi bien pu être tous morts, qui le saurait ? Il lui arrivait parfois de se demander combien de temps on mettrait à le retrouver s'il lui arrivait malheur. Bon, il y avait toujours le laitier...

Les haies d'aubépine, ruisselantes du vert tendre des bourgeons, s'arrêtaient à la fin de la rue empierrée. Elles cédaient la place à la futaie dont la voûte se refermait au-dessus de Pocket Lane. Rien, sauf les fougères et les ronces, n'avait la force de pousser à l'ombre de ces grands arbres et dans cette gangue de feuilles moisies recouvrant la terre argileuse que leurs racines avaient épuisée. C'est juste à cet endroit qu'elle garait la voiture, qu'elle la glissait sous les branches afin de la dissimuler aux regards de voisins pourtant bien peu curieux. N'avait-elle pas redouté quelque espion ou autres observateurs qui n'existaient que dans son imagination mais qui s'apprêtaient, elle en était persuadée, à rapporter le moindre de ses mouvements à Microbe ! Or, personne n'avait rien su. Pas la moindre preuve. Comme si leurs rencontres, leur amour, n'avaient jamais existé. L'herbe druc du printemps avait recouvert la trace de ses pneus, et les fragiles rameaux brisés par le passage de la voiture, maintenant ressoudés, étaient en pleine feuillaison.

Un simple coup de téléphone, et elle lui reviendrait. Mais il ne voulait pas penser à ça. Il penserait à *Autant en emporte le vent*, à se faire une tasse de thé, à ce qu'il mangerait pour dîner. Lui téléphoner, il vaudrait mieux y songer après 6 heures, quand le retour de Microbe interdirait toute tentative, alors que maintenant, c'était possible.

La fougère fait un lit confortable, paraît-il. C'était vrai : il s'allongea sur les moelleuses pousses vertes et lut, rentrant de temps à autre pour se faire du thé, jusqu'à ce que le soleil se couche et que le ciel prenne une douce teinte dorée par-dessus l'entrelacs des branches. Les oiseaux cessèrent leur ramage avant le crépuscule, et le silence devint profond. Un écureuil se laissa glisser de sa branche jusqu'à terre où il se mit à grignoter la tige d'un malheureux rejet qui ne lui avait pourtant rien fait. Gray avait depuis longtemps cessé de se croire fou parce qu'il parlait aux écureuils et aux oiseaux, parfois même aux arbres. Fou ou pas, il s'en moquait, d'ailleurs : quelle importance ?

— Je parie, fit-il à l'animal, que tu ne resterais pas là à boire du thé — ou dans ton cas, à bouffer des plantes — si tu savais qu'une jolie dame écureuil soupire après toi à six kilomètres d'ici. Tu te dépêcherais d'aller décrocher le téléphone. Tu n'es pas torturé dans ta tête comme les humains et tu ne laisserais pas un fatras de principes à la gomme s'interposer entre toi et le plus beau coup de Waltham et de tout l'Essex. Surtout si la dame en question avait engrangé un arbre entier de succulentes noisettes, n'est-ce pas ?

L'écureuil se figea, les mâchoires toujours serrées autour de la tige, puis il bondit sur le tronc d'un hêtre. Gray ne s'approcha pas du téléphone. Il se plongea dans le Sud historique jusqu'à ce qu'il fît trop sombre pour lire et trop froid pour rester plus longtemps allongé sur le sol. Le ciel avait viré à l'indigo, mais un rougeoiement plombé apparaissait au sud-ouest, au-dessus de Londres. Il resta quelques minutes au portail comme il le faisait toujours à cette heure-là, lorsque la soirée était belle, pour contempler l'embrasement muet de la capitale.

Il rentra bientôt et ouvrit une boîte de spaghetti en sauce. La nuit, le bois endormi semblait s'ébrouer dans sa torpeur et envelopper la bicoque tout entière dans ses grands bras feuillus. Gray s'installa dans le fauteuil Windsor, sous la lampe nue de la cuisine. Il laissa malgré lui son esprit somnolent vagabonder vers elle, puis finit par lire un tiers d'*Autant en emporte le vent* avant de glisser dans le sommeil. Une souris l'éveilla en lui trottant sur les pieds. Il monta se mettre au lit dans un cocon de ténèbres. La journée avait été ordinaire. Elle ne différait des quelque cent cinquante autres qui l'avaient précédée que par sa chaleur et son ensoleillement.

2

La Poste, songea Gray, aurait bien dû lui verser une gratification à titre d'usager peu exigeant : ce n'était guère plus d'une fois par semaine que le facteur se voyait imposer la longue trotte de Pocket Lane jusqu'à la bicoque. Et encore n'avait-il à apporter que quelques factures, et la lettre hebdomadaire d'Honoré. Cette dernière était arrivée le jeudi précédent, accompagnée d'une note de gaz de neuf livres que Gray n'était pas disposé à payer avant d'en savoir plus sur sa situation financière. Et il en saurait beaucoup plus lorsqu'il recevrait de son éditeur le relevé de droits qu'il espérait. On devait être, calcula-t-il, aux alentours du 12 ou du 13 mai : le relevé lui parviendrait donc d'un jour à l'autre.

En attendant, il faudrait envoyer un mot à Honoré avant d'aller faire les courses. *M. Honoré Duval, le Petit Trianon* — bon sang ! il ne pouvait jamais écrire ce mot sans frémir — *Bajon*, précédé du code postal, *France*. Il rédigea l'enveloppe en premier pendant qu'il cherchait quoi dire, ce qui n'était jamais une mince affaire. Deux tasses de thé furent avalées avant qu'il ne commence. *Cher Honoré, je suis très content de recevoir votre lettre de jeudi dernier, y inclus les nouvelles de maman...* Son français n'était pas bon, mais pas pire que l'anglais de son beau-père. Puisque celui-ci s'entêtait — juste pour l'embêter, c'était sûr — à écrire dans une langue dont il écorchait horriblement la grammaire et la syntaxe, eh bien il recevrait la monnaie de sa pièce. Quelques considérations sur le temps suivirent. Qu'y avait-il d'autre à raconter ? Ah oui ! Isabel. *Imaginez-vous, Isabel va visiter Australie pour un mois de vacances... Donnez mes bons vœux à maman, votre Gray.*

Voilà, ça lui clouerait le bec pendant quelque temps. Gray prit *Autant en emporte le vent*, ses histoires de fantômes, et partit en ville où il posta sa lettre, acheta une demi-livre de thé, un paquet géant de céréales (l'offre spéciale de la semaine) et deux boîtes de boulettes de viande. *Jane Eyre* était « en main » et ils n'en avaient qu'un seul exemplaire. Il décocha un regard furibond à la grosse fille, se sentant presque persécuté. Ne réalisaient-ils pas qu'il était l'un de leurs meilleurs clients ? Si Charlotte Brontë était encore de ce monde, elle perdrait des revenus à cause de leur incompétence.

Il choisit *L'Homme au masque de fer* et le premier tome des Chroniques de Herries, jeta un regard dégoûté en direction de la masse grisâtre de l'Abbaye et reprit d'un air sombre le chemin de Pocket Lane. Une cigarette aurait grandement atténué le supplice de ces marches. Peut-être devrait-il ne plus boire le lait, réduire sa consommation de thé et consacrer l'argent ainsi économisé à l'achat de deux paquets par semaine. Bien sûr, cette vie était absurde, et il pourrait facilement y remédier. *Facilement*, peut-être pas, mais y remédier, oui. Se faire engager comme ouvrier quelque part, ou effectuer un stage pour devenir standardiste dans les Postes. La moitié des standardistes de Londres étaient des auteurs ratés, des amoureux au cœur brisé, des poètes incompris, des intellectuels manqués. Il ne lui faudrait qu'un petit peu d'énergie, un soupçon de dynamisme....

Il faisait anormalement chaud pour la saison et, en raison de l'humidité de la forêt, cette touffeur avait quelque chose de désagréable. Des nuées de moucherons bourdonnaient dans les taillis. Les moineaux piaillaient en s'ébattant dans les ornières. Un geai criait parfois. Ce sentier traversait les bois d'une région encore préservée, mais on s'y sentait comme dans une pièce poussiéreuse. Et quelle que soit la période de l'année, des feuilles mortes recouvraient tout, marron à la surface, en décomposition au-dessous.

C'était vendredi, le jour où le laitier se faisait payer. Il était donc en retard et, son travail fait, remontait cahin-caha Pocket Lane.

— Belle journée, hein, Mr Lanceton ? Ça vous rend heureux de vivre. Je peux vous demander quarante-deux *pence* ?

Gray le régla, ce qui le laissait lui-même avec une livre quatre-vingts pour tenir jusqu'à ce qu'il retourne à la banque, la semaine prochaine.

— C'est des bouquins sérieux que vous avez là, fit le laitier. Vous étudiez ? Vous passez un diplôme en auditeur libre ?

— C'est ça. A la Polytechnique de Waltham, rigola Gray.

— La Polytechnique de Waltham ! Vous êtes un petit marrant, vous, il faudra que je la ressorte à ma femme. Vous voulez pas savoir quel jour on est ?

— Bien sûr que si, vous êtes mon calendrier.

— Eh bien, nous sommes le vendredi 14 mai. Et je suppose qu'il vaut mieux vous rappeler que vous avez un rendez-vous : il y a une voiture garée devant chez vous, une Mini rouge. Une belle nana, j'imagine ?

Isabel.

— Ma bonne fée de marraine, répondit-il d'un air lugubre.

— Alors bonne chance, Cendrillon. A la prochaine.

— Au revoir — et merci.

Satanée Isabel. Qu'est-ce qu'elle voulait? Voilà qu'il fallait lui trouver quelque chose pour le thé, maintenant: on ne peut décemment pas offrir des raviolis ou des céréales à une femme du monde de soixante-deux ans qui débarque à 3 heures de l'après-midi! Voilà des mois qu'il n'avait pas eu chez lui la moindre tranche de cake. En plus, elle avait sûrement amené Didon. Non que Gray n'aimât point la chienne labrador d'Isabel — en fait, il la préférait à sa maîtresse —, mais sa marraine avait la détestable habitude d'oublier la pâtée de l'animal et de piller sa maigre réserve de corned beef.

Il trouva Isabel assise sur le siège passager de la Mini, portière ouverte, en train de fumer une king size, cependant que le labrador creusait un trou dans les fougères, s'interrompant parfois pour claquer des crocs en direction des mouches.

— Ah! te voilà enfin, mon grand. J'ai essayé de passer par-derrière, mais tu n'avais même pas laissé une fenêtre ouverte et je n'ai pas pu entrer.

— Bonjour, Isabel. Bonjour, Didon: quand tu auras fini de creuser ici, tu pourrais peut-être planter des capucines, comme disait le laitier.

Isabel le considéra d'un air bizarre.

— Je me demande parfois si la solitude ne te pèse pas un peu.

— Ça se pourrait, répondit Gray. (Didon s'approcha de lui et se dressa pour lui lécher le visage, plaquant ses grosses pattes pleines de terre sur ses épaules. Elle avait vraiment une jolie tête, bien plus belle, songea-t-il que la plupart des visages humains

— sauf un, toujours sauf un. Sa truffe toute fraîche était rose comme une crevette, ses yeux marron respiraient la bonté, ce qui semblait drôle à dire d'un chien.) Bon, je vais faire du thé.

Et Didon, qui était fort intelligente en matière de nourriture, remua sa longue queue en panache.

Isabel le suivit. Elle fit mine de ne remarquer ni la vaisselle sale ni les mouches et préféra arrêter son regard sur Gray.

— Je ne te demanderai pas pourquoi tu ne te fais pas couper les cheveux, pouffa-t-elle en s'asseyant — après l'avoir époussetée avec son mouchoir — sur la marche de la porte de derrière.

— Tant mieux, fit-il en mettant la bouilloire sur le feu.

— Enfin quand même, mon grand, tu n'as plus dix-huit ans. Ta tignasse te tombe sur les épaules.

— Puisque tu as décidé de ne pas me poser de question, si on passait à autre chose? Je n'ai pas de cake, au fait. Par contre, il y a du pain... (il réfléchit un instant) avec de la margarine.

— Oh! mais j'ai apporté un gâteau.

Isabel se hissa sur ses articulations craquantes et trottina vers la voiture. C'était une petite femme grassouillette, vêtue d'un pantalon turquoise et d'un pull rouge. Gray trouva qu'elle ressemblait aux statuettes de nains du jardin d'Honoré. Lorsqu'elle revint, elle fumait une nouvelle cigarette.

— Je ne t'en offre pas: tu m'as dit que tu avais arrêté, si je me souviens bien.

Il aurait dû savoir par expérience que ledit gâteau ne serait pas le gros cake écossais fait maison, avec plein de pâte d'amande et un beau glaçage, qu'il avait si avidement espéré, mais une tarte de fabrication industrielle. Il la sortit de son emballage: elle était déjà présentée sur une barquette d'alu, ce qui lui économisa une assiette. La chienne entra et vint glisser son museau entre sa main et le couvercle de la baignoire.

— Allons, ma chérie, reste tranquille, fit Isabel — qui appelait toujours ses chiens « chéri », tendre expression pour elle à destination exclusivement canine. Si nous allions dans ton salon ? J'aime bien être confortablement installée pour prendre mon thé.

Le téléphone était encore décroché de la nuit précédente. Microbe allait à son truc maçonnique, le jeudi soir, et si elle voulait appeler, ce serait presque sûrement à ce moment-là. Peut-être avait-elle essayé, peut-être essayait-elle souvent, le jeudi soir. Il reposa le récepteur sur les genoux du bouddha. Que ferait-il, que dirait-il si elle téléphonait pendant que sa marraine était là ? Il crut percevoir une légère odeur d'*Amorce dangereuse*, aujourd'hui, sans doute dégagée par la chaleur. Isabel vit son manège. Elle eut le tact de ne rien dire, mais avec un air tellement inquisiteur que son silence était à peine plus supportable que ses questions. Elle s'était munie d'une boîte de mouchoirs en papier, comme si elle souffrait d'un rhume de cerveau. Mais Isabel n'avait pas de rhume de cerveau. Elle épousseta le fond du fauteuil avec l'un de ses mouchoirs, en étala un autre sur ses genoux et demanda enfin à Gray où il en était.

Gray avait renoncé à essayer d'être conciliant avec les vieux. Cela exigeait trop de mensonges, trop de faux-fuyants compliqués. La vie aurait peut-être été plus simple, pour lui, s'il avait fait croire à Isabel et Honoré qu'il écrivait un autre roman, que la maison était en désordre parce qu'il ne trouvait pas de femme de ménage et qu'il vivait à Pocket Lane parce qu'il s'y sentait bien. Mais à quoi bon chercher à plaire à des gens qui ne lui plaisaient pas? Il répondit qu'il n'en était nulle part, au sens où elle l'entendait.

— Quel dommage! Tu étais un si mignon petit garçon, tu ramenais toujours de si bons livrets scolaires! Et quand tu as eu ton diplôme, à l'université, nous avons fondé tant d'espoirs sur toi, ta mère et moi! Je ne voudrais pas te faire de peine, mais si on m'avait demandé comment je voyais ton avenir, à l'époque, j'aurais répondu que tu serais aujourd'hui en haut de l'échelle.

— Ça me fait pas de peine, répondit Gray en toute sincérité.

— Et puis tu as écrit ce roman. Non pas qu'il m'ait plu, à moi, je ne cours pas après les livres où il n'y a pas d'histoire. Mais tous les gens qui s'y connaissent te prédisaient une merveilleuse carrière. Tout ça pour en arriver où, mon pauvre Gray?

— A Pocket Lane et aux boulettes en boîte, répondit-il, ravi que Didon vienne faire diversion en donnant un grand coup de langue dans son assiette.

— Veux-tu bien t'éloigner de la table, ma chérie? La tarte, ce n'est pas bon pour les toutous. (Isabel alluma une nouvelle cigarette et inhala avec délectation.) Ce qu'il te faut, dit-elle, c'est un intérêt extérieur, quelque chose qui te fasse un peu sortir de toi-même.

— Comme quoi, par exemple?

— C'est justement la raison de ma venue. Non, pour être honnête, disons que je voudrais que tu me rendes un service, mais un service qui te ferait du bien à toi aussi. Tu admets que tu as besoin de t'occuper?

— Je ne veux pas prendre de boulot, Isabel. Pas ton genre de boulot, en tout cas. Je ne tiens pas à me retrouver employé de bureau, vendeur ou représentant.

— Rien à voir. Il ne s'agit pas d'un travail au sens *rétribué* du terme, mais de faire quelque chose pour moi. Inutile de tourner autour du pot : j'aimerais que tu gardes Didon pendant que je serais en Australie.

Gray ne répondit pas. Il observait une mouche qui mangeait une miette de tarte tombée sur le tapis — ou qui pondait dessus. Didon la regardait aussi et roula des yeux lorsque la mouche s'éleva lourdement de la miette et vint folâtrer devant sa truffe.

— Tu comprends, je ne l'ai jamais quittée depuis qu'elle était jeune chiot, et elle a cinq ans maintenant. Impossible de la mettre au chenil : elle s'angoisserait, et moi, de la savoir mal, je ne profiterais pas de mon séjour.

Londres. Kensington. Bonne occasion pour dégager.

— Tu veux dire de la garder dans ton appartement ?

— *Non*, mon grand : je t'ai déjà expliqué que j'avais des ouvriers chez moi. Tu la garderas ici, bien sûr. Elle s'y plaît beaucoup, et puis comme tu ne travailles pas, elle ne restera pas toute seule. Tu pourras l'emmener faire de longues promenades.

Pourquoi pas, après tout ? Il aimait davantage Didon que la plupart des gens, et puis Isabel pourvoirait à sa nourriture avec, peut-être, possibilité d'une petite rallonge financière.

— Pour combien de temps ?

— Juste quatre semaines. Je pars le lundi 7 juin. Mon avion décolle de Heathrow à 3 heures et demie. Je pensais t'amener la chienne le dimanche au soir.

— Le dimanche 6 ?

— Exactement.

— Désolé, Isabel, fit Gray avec fermeté. Pas possible. Il faudra que tu trouves quelqu'un d'autre.

Pas question de louper la boum de Francis, surtout pour Isabel. Cette soirée était sa seule perspective agréable, la seule chose qui lui permettait de tenir. Il s'était déjà organisé, avait décidé de monter le dimanche matin pour pouvoir se balader dans Hyde Park, voir les marchands ambulants de Bayswater Road et arriver chez Francis vers 4 heures. Ce qui impliquerait d'aider à préparer la bouffe et à charrier des caisses de bouteilles, mais ça ne l'ennuyait pas, d'autant qu'il se ferait ainsi bien voir de Francis qui ne manquerait pas de lui offrir un lit pour la nuit. Ou du moins de 5 heures du matin jusqu'à ce qu'il émerge, aux alentours de midi. Il avait fantasmé sur cette soirée : de vrais gens à qui parler, de l'alcool et des cigarettes à volonté, de nouvelles filles dont l'une pourrait bien être celle qui lui ferait oublier, avec laquelle même il pourrait peut-être partager ce lit, ou le canapé, un coin de tapis ou de plancher. La seule idée de sacrifier cela pour une raison moins cataclysmique qu'une maladie grave ou le décès de sa mère le rendait fou.

— Désolé, mais je serai occupé, ce dimanche-là.

— Ah bon ? A quoi ? Tu ne fais jamais rien.

Gray hésita. Décider de ne plus être conciliant avec les vieux, c'était bien beau. Mais difficile à appliquer de manière systématique. Invoquer un dîner avec son éditeur ? Peu plausible, un dimanche soir. Et comme Isabel savait qu'il n'avait rien publié depuis trois ans, elle ne goberait sans doute pas. Il opta donc encore pour la vérité.

— Je vais à une party.

— Un *dimanche* ? Je trouve vraiment ça étrange, mon vieux Gray. A moins que tu n'ailles là-bas pour rencontrer quelqu'un vers qui tu pourrais — enfin, qui pourrait te donner un coup de main ?

— C'est bien possible, répondit-il en pensant à la fille imaginaire. (Puis, ne voulant pas paraître trop jésuitique, il ajouta :) Cette soirée, c'est juste pour le plaisir, il n'y a aucune obligation. Mais je tiens à y aller, Isabel, je suis désolé. Je vois bien que tu trouves ça égoïste, immoral, même — si, si, je le vois — mais tant pis : je ne la manquerai ni pour toi, ni pour Didon, ni pour personne.

— C'est bon, mon grand, va à ta soirée. Je pourrai t'amener la chienne le lendemain matin, après tout : je viendrai à midi, et je repartirai d'ici pour l'aéroport.

Sacré bon Dieu ! songea-t-il, voilà de l'obstination ou je ne m'y connais pas. Pas étonnant qu'elle ait fait fortune en fourguant à des patrons ses tarées de dactylos illettrées.

— Isabel, expliqua-t-il avec patience, ce ne sera pas un cocktail où de vieux encroûtés de cinquante ans sirotent leur gin au vermouth avec des petits gâteaux entre 6 et 8, mais plutôt le genre nuit d'orgie. Je ne me coucherai pas avant 5 ou 6 heures du mat, alors tu penses bien que je n'aurai pas envie de me dépieuter aux aurores pour rentrer vous attendre ici, ton clébard et toi.

— C'est ce qu'on appelle parler franc ! fit Isabel avec un mouvement de tête et en toussotant, dans un effort inutile pour lui masquer combien elle avait rougi. Je crois qu'un peu de pudeur naturelle sur des agissements de ce genre ne serait pourtant pas superflue : tu aurais pu avoir la décence d'inventer une bonne excuse.

Allons bon, il ne fallait même pas être honnête ! On savait que tu aimais les femmes et l'alcool — bien au-delà de la réalité — mais tu étais tenu, par pudibonderie victorienne, de faire passer la moindre petite bringue à Westbourne Grove pour un congrès au *Hyde Park Hotel*.

— Je peux avoir une de tes cigarettes?

— Bien sûr. Je ne t'en ai pas offert parce que je croyais que tu avais arrêté. Bon, est-ce qu'il ne me serait pas possible d'amener Didon à midi et de la laisser à la maison — en l'enfermant dans la cuisine, disons — jusqu'à ce que tu rentres?

— D'accord, tu peux faire ça. (Il n'y avait vraiment aucune échappatoire possible.) Je serai là vers 3 heures. Elle tiendra toute seule jusque-là?

— Evidemment, qu'elle tiendra. Je lui mettrai de l'eau, et je te laisserai ce qu'il faut de boîtes et d'argent pour la viande fraîche jusqu'à mon retour. (Isabel se lança dans une longue liste de recommandations tandis que Didon, à l'insu de sa propriétaire mais pas de Gray, nettoyait la table des restes de tarte.) Maintenant, comment fait-on, pour la clef?

Lorsqu'il était arrivé à la bicoque, il y avait eu trois clefs: celle qu'il gardait toujours sur lui, une autre pendue à un clou au-dessus de l'évier de la cuisine, et une troisième qu'elle avait dû jeter, depuis, avec tout ce qui pouvait lui rappeler Gray. Il alla chercher la deuxième clef.

— Je l'enfermerai dans la cuisine parce que, bien qu'elle soit *normalement* très propre, elle pourrait avoir un petit accident, seule dans un endroit qui lui est étranger.

Gray répondit que les petits accidents ne feraient pas grande différence, vu la saleté ambiante, mais qu'il était d'accord. Il précisa à Isabel que la fenêtre de la cuisine n'ouvrait pas.

— Ce ne sera pas grave, 3 heures, du moment que tu te mets aux petits soins pour elle dès que tu rentres et que tu l'emmènes faire une bonne promenade. Je remettrai la clef à son clou, n'est-ce pas?

Gray fit signe que oui. Tandis qu'Isabel s'essuyait la bouche et époussetait ses genoux avec des kleenex neufs, il tendit la main vers la chienne qui vint lui lécher les doigts avec force cabrioles, s'assit à ses pieds et appuya son pelage doré contre ses jambes. Il laissa son bras reposer sur elle, comme s'il enserrait les épaules d'une femme. La chaleur de ce corps, les pulsations du sang provoquaient une sensation étrange, nouvelle. Ce n'était certes pas un corps humain, pas du sang humain, une infinité de pensées ne roulaient pas sous ce crâne bien dessiné, mais le contact même de cette chaleur, l'expression de ce qui semblait être une véritable affection lui causèrent une douleur aiguë, soudaine, ravivèrent en lui la détresse de sa solitude. Il se trouva alors prêt à pleurer, à verser des larmes sur son désarroi, sur son insurmontable apathie, sur tout ce gâchis, et sur sa pauvre petite personne si faible.

Ce fut pourtant d'une voix normale qu'il s'adressa à la chienne :

— C'est chouette, hein, Didon ? Tu vas voir comme on s'entendra bien tous les deux, mon vieux toutou.

Didon leva la tête et lui balaya le visage d'un grand coup de langue.

3

A une heure où il somnolait encore, vers 8 heures peut-être, il entendit une lettre tomber sur le paillasson. Ce ne pouvait en être une d'Honoré, pas déjà. La facture d'électricité, trop modeste pour mettre son compte bancaire en péril, avait été réglée et le dernier avertissement pour le gaz ne viendrait sûrement pas si tôt. Ce devait donc être son relevé de droits. Enfin ! Non que cela pût annoncer une manne extraordinaire, mais si ça se chiffrait déjà à une petite centaine de livres, même une petite cinquantaine... Un minuscule capital de cet ordre suffirait à le motiver pour partir d'ici, trouver une chambre à Londres et un boulot de barman ou de plongeur jusqu'à ce qu'il se requinque et puisse se remettre à écrire.

Une lumière pâle emplissait la chambre et ondoyait au rythme du balancement des branches de hêtre dans le vent. Il resta allongé, pensant à Londres, à Notting Hill, à Ladbroke Grove qui montait en lacet jusqu'à Kensal Green, aux rues grouillant de monde toute la nuit. Finis les branchages, la boue, le bruissement des feuilles sous vos pas ; plus de ces journées interminables et vides. Bien qu'il ne comptât pas se rendormir, il s'assoupit en rêvant. Non pas de Londres comme on eût pu s'y attendre, mais d'elle. Dans les semaines qui avaient suivi leur séparation, elle avait hanté toutes ses nuits, il redoutait même le soleil à cause de ces cauchemars. Ils lui revenaient encore souvent, une ou deux fois par semaine. Et maintenant, elle était dans la chambre avec lui, dans cette chambre, le vent jouait avec ses cheveux qui n'étaient ni roux, ni blonds, ni châtains, mais d'une couleur renard, mélange des trois. Et ses yeux, avec leur teinte de cristal fumé, le fixaient.

Elle tendit une petite main aux doigts encombrés de bagues.

— On va en parler. Ça ne peut pas faire de mal.

— Pas de bien non plus.

Elle n'écouta pas sa réponse. Peut-être ne l'avait-il pas prononcée tout haut ? Qui peut savoir, dans les rêves ?

— Ce ne sera pas la première fois, dit-elle. Des tas de gens dans notre situation l'ont fait avant nous. Tu me diras qu'ils se sont fait prendre. (Il ne répondit pas, fasciné par ses yeux.) D'accord, mais on ne connaît pas tous ceux qui s'en sont tirés. Et nous, on appartiendra à cette catégorie.

— Nous ? répéta-t-il. A cette catégorie ?

— Oui, Gray, mon chéri, oui...

Plus proche, maintenant. Ses cheveux qui lui frôlent la peau. Il tendit les bras pour la saisir, mais sa chair était ardente, ses mèches folâtres devenues flammes. Il se recula, repoussa ce feu, cria tandis qu'il émergeait du rêve.

— Je ne peux pas faire ça ! Je ne pourrais même pas tuer une mouche... !

Pas question de rester au lit après cela. Encore frissonnant du choc de sa présence — car une femme serait-elle moins présente en songe qu'en réalité ? —, il se leva, passa un jean et un tee-shirt délavé. Peu à peu, son corps cessa de trembler. Il se trouva replongé dans le monde du réel, dans sa lumière crue, dans sa solitude, dans cette sécurité monotone et désespérante d'être sans elle. Il regarda sa montre : 11 heures et demie. Mais de quel jour ?

L'une des premières choses qu'il vit lorsqu'il descendit fut la tête d'une vache, tachée de blanc et de marron roux, qui le regardait par la fenêtre de la cuisine. Il ouvrit la porte de derrière et sortit dans ce carré d'orties, de pousses de bouleau et d'aubépine qui était censé être un jardin. Les vaches l'avaient envahi et tournaient en rond sous la lessive grisâtre qu'il avait laissée pendue au fil depuis le dimanche précédent. Les clôtures étaient interdites dans la forêt, et les fermiers avaient le droit de laisser paître leurs troupeaux où bon leur semblait, au grand dam des amateurs de jardins. Gray s'approcha des vaches, donna de petites tapes sur le mufle de plusieurs d'entre elles — qui évoquait, au toucher, la truffe de Didon — et les harangua sur les bienfaits de l'anarchie et les méfaits de la propriété. Puis il se souvint de la lettre, du relevé de droits, et alla la chercher. Mais avant même de l'avoir ramassée, le timbre — cette bêcheuse de Marianne qui semait ses fleurs ou Dieu sait quoi ! — lui indiqua qu'il s'était trompé.

L'anglais d'Honoré donnait à peu près ceci :

Mon cher fils... (Gray avait fini par s'habituer à cette appellation, mais elle le faisait toujours tiquer.) *Mon cher fils, J'ai essayé de téléphoner toi jeudi soir dernier, mais la ligne était occupée, et encore vendredi mais la ligne toujours était occupée. Comme tu dois avoir la bonne vie avec tous tes amis ! Tu ne dois pas être inquiet, mais Maman n'est pas bien et le Dr Villon dit qu'elle va avoir encore une attaque de paralyse. Il y a beaucoup de travail ici et je m'ai habitué à être juste un pauvre infirmier en service le jour et la nuit pour faire les soins de ta maman.*

Maintenant ça sera bon si tu viens. Pas aujourd'hui, bien sûr, mais sois prêt à venir si Maman va pire. Pour ça quand tu dois venir je parlerai avec toi au téléphone pour te dire c'est le moment de venir mon fils. Si tu répondras tu n'as pas d'argent pour payer le train ou l'avion, alors j'enverrai l'argent à toi. Pas dans une lettre — c'est contre la loi, donc je ferai pas — mais à ta banque qui est Midland à Waltham Abbey, puisque tu as dit que tu peux le prendre là quand tu dois venir. Pour ça je fais arrangements. Oui, tu te dis c'est drôle, Honoré paie de l'argent à moi, pourtant il fait tellement attention à ses petites économies. Mais le vieux Honoré il connaître les devoirs d'un fils pour sa maman, et pour ça il casser la règle de pas envoyant argent à un fils qui ne pas travaille et il fait arrangements pour la banque avoir trente livres.

Ne sois pas inquiet. Le Dr Villon, il dit que le Dieu ne pas prend maman encore et qu'il n'y a pas besoin chercher le Père Normand, mais qu'il faut prévenir toi qui est son unique enfant. Sois calme mon garçon. Ton papa qui t'aime,

Honoré Duval.

P.S. J'ai prêté au maire la translation du livre que tu m'as donné et il le lire quand il a des loisirs. Tu aimeras avoir la critique d'un homme raisonnable comme il est le maire. H.D.

Gray savait que le seul lien avec la littérature dont ledit maire de Bajon puisse se targuer était que sa grand-tante avait été bonne chez un cousin de Baudelaire. Il chiffonna la lettre et la jeta derrière la baignoire. Honoré savait parfaitement bien qu'il lisait le français sans difficulté, mais il s'obstinait à lui écrire dans cet horrible anglais de cuisine qu'il avait appris lorsqu'il était serveur à Chaumont. Gray ne pensait pas que la vie de sa mère soit véritablement en danger : il n'accordait que peu de crédit aux diagnostics du Dr Villon, un autre — avec le maire — des copains d'Honoré au bistrot du cru, l'*Ecu d'Or*.

Il n'irait pas jusqu'à affirmer que le sort de sa mère lui importait peu, et il avait bien l'intention de prendre l'avion pour la France si elle était réellement sur son lit de mort, mais il ne lui restait guère d'attachement pour elle. Dire qu'il l'aimait serait faux. Cela avait été un grand choc pour lui quand, lors d'un voyage touristique en France avec Isabel, elle s'était amourachée — Gray ne pouvait se résoudre à l'expression « tombée amoureuse » — d'un des serveurs de l'hôtel de Chaumont. Il avait quinze ans, à l'époque, sa mère quarante-neuf et Honoré dans les quarante-deux. Même à présent, il ne révélait jamais son âge véritable, se faisant juste passer pour un vieil homme sur lequel la tâche d'infirmier pesait bien lourd. Ils s'étaient mariés très rapidement, après cela, Honoré s'étant rendu compte que sa future était propriétaire de la voiture dans laquelle elle voyageait et, bien plus important encore, d'une assez grande maison à Wimbledon. Quels que fussent ses effets sur la famille de la mariée, le mariage avait apparemment été heureux. La maison de Wimbledon avait été vendue et Honoré avait construit un petit pavillon dans son village natal de Bajon-sur-Lone, où ils avaient vécu depuis. Mme Duval était, le jour de ses noces, devenue catholique, autre désertion que Gray trouvait difficile à pardonner. Lui-même n'avait pas de religion, en grande partie parce que sa mère l'avait élevé dès le berceau dans l'agnosticisme. Balayé, tout cela, depuis son remariage : maintenant, elle invitait le curé pour le thé et se faisait marquer le front le mercredi des Cendres. Avant sa maladie, du moins. La première attaque l'avait frappée quatre ans plus tôt. Gray avait alors effectué le déplacement et payé sa traversée avec l'argent de la publication de ses nouvelles. De même après la seconde attaque, grâce cette fois à l'avance substantielle perçue pour son roman. Il s'était parfois demandé comment il ferait lorsqu'une nouvelle attaque, peut-être fatale celle-là, surviendrait. Maintenant, il savait : Honoré casquerait.

Honoré *avait* casqué. Délicieuse pensée que celle de se dire que l'argent était là, qui l'attendait, et qui rendait l'attente du relevé moins chargée d'angoisse. Il versa un sachet de curry d'agneau lyophilisé dans une casserole, ajouta une dosette d'eau tiède, tourna jusqu'à l'ébullition et alla manger le tout sur le seuil. Les vaches avaient commencé à s'éloigner, en quête de pâturages plus riches que les parterres d'orties de Mal. A midi juste, le laitier arriva.

— J'ai mon lait sur pattes, dit Gray qui se sentait parfois obligé d'être fidèle à sa réputation de joyeux drille. Attention à la concurrence.

— Votre lait sur pattes ? Vous êtes vraiment un comique, vous ! Ces vaches-là, c'est tous des bœufs, au cas où vous auriez pas remarqué.

— Je ne suis qu'un pauvre Londonien, et fier de l'être.

— Ben, il faut de tout pour faire un monde. Ça irait pas si on était tous pareils, pas vrai ? Juste pour vos tablettes, on est jeudi 20 mai.

— Merci, dit Gray. A bientôt.

— A bientôt, fit le laitier.

Gray fit une vaisselle géante, la première depuis quatre ou cinq jours, lut le dernier chapitre de *Rogue Herries* et partit sur le chemin. Il avait plu en début de semaine. Et la terre était lourde d'avoir été piétinée par la vingtaine de bœufs qui avaient laissé sur leur passage des bouses fumantes d'où s'exhalait une odeur âcre. Il les rattrapa devant le portail de la ferme. Il ne savait pas grand-chose de Willis, sauf qu'il avait une femme au visage en lame de couteau et une Jaguar rouge. Mais les vaches, ça vit dans des fermes, et ces vaches-ci voulaient manifestement pénétrer dans cette ferme-là. C'était de toute évidence l'endroit qui leur convenait le mieux. Il ouvrit donc le portail, un assemblage fantaisiste de roues de charrettes entre des barres, et regarda les bovins entrer de ce trot maladroit qui leur est si particulier, remonter l'allée de gravier et traverser la pelouse de Mr Willis. Celle-ci était une étendue luisante de velours vert sur laquelle un arroseur faisait retomber une pluie fine. Il s'adossa au montant du portail, captivé par les bestiaux et amusé de leurs ébats.

Trois d'entre eux se mirent immédiatement à dévorer des tulipes. Les tiges et les calices vermillon dépassaient comiquement de leurs mâchoires — comme dans un dessin animé de Disney. Les autres se bousculaient à qui mieux mieux sur la pelouse et il y en eut un qui commença à se diriger vers l'arrière de la maison. Gray changea ses livres de bras et s'apprêtait à repartir lorsque la fenêtre de la ferme s'ouvrit à la volée.

— C'est vous qui avez ouvert le portail ? cria une voix.

Le visage en lame de couteau de Mrs Willis.

— Oui. Ils voulaient entrer. Ils ne sont pas à vous ?

— A *nous* ? Depuis quand avons-nous des troupeaux ? Vous voyez ce que vous avez fait, espèce d'idiot ? Regardez-moi ça !

Gray regarda. Le délicieux gazon bien moelleux était haché menu par quelque quatre-vingts sabots fendus.

— Je suis désolé, mais ce n'est que de l'herbe. Ça va se cicatriser, quel que soit le terme exact.

— Se cicatriser ! glapit Mrs Willis, le buste à moitié sorti, agitant les bras dans sa direction. Vous n'êtes pas un peu malade ? Vous savez ce que ça a coûté à mon mari, une pelouse comme ça ? Des années de travail et un argent pas possible ! On devrait vous envoyer la facture, espèce de... de vaurien chevelu ! Je vais le dire à mon mari, qu'il vous fasse payer même s'il faut vous faire un procès !

— Ta gueule, vieille folle, fit Gray par-dessus son épaule.

Des hurlements de réprobation, des menaces de sanctions et des condamnations de son langage le poursuivirent tout au long du chemin. Il était d'une humeur noire qui ne fut en rien apaisée lorsqu'il s'aperçut, arrivé à la banque cinq minutes avant la fermeture, qu'il ne restait plus que deux livres et quarante-cinq *pence* sur son compte. Il les sortit, puisque les trente livres d'Honoré devaient arriver d'un jour à l'autre. Ce qui, cependant, n'autorisait guère de folies pour les boîtes de conserve. Il rendit *Rogue Herries* et *L'Homme au masque de fer* et prit *Anthony Absolute, Le Prisonnier de Zenda* et *Pas d'orchidées pour Miss Blandish*, tous des livres de poche reliés par la bibliothèque. Ils n'étaient pas lourds, et ce fut précisément le jour où il n'avait pas besoin qu'on le ramène qu'on le lui proposa. Il venait juste d'entrer dans Pocket Lane lorsque la voiture de miss Platt s'arrêta à côté de lui.

— Je suis heureuse de vous voir, monsieur Lanceton, parce que je voudrais savoir si vous pourriez venir à ma petite soirée de mardi en quinze.

Il monta dans la voiture.

— Votre quoi ? s'écria-t-il, non par impolitesse car

il aimait bien miss Platt pour ce qu'il connaissait d'elle, mais parce que l'idée qu'une dame de soixante-dix ans puisse organiser une soirée, en cet endroit qui plus est, lui parut originale au point d'en être saugrenue.

— Juste une réunion entre amis et voisins autour d'un verre et de quelques sandwiches, le 8 juin vers 7 heures. Je vais déménager, voyez-vous. J'ai vendu la maison et je pars le 9.

Gray marmonna quelques paroles de regret de la voir partir. Ils passèrent devant la ferme, que les vaches avaient désertée à présent, et virent Mrs Willis en train de damer le gazon défoncé avec le plat d'un rateau.

— Oui, elle s'est vendue le jour même où j'ai fait passer l'annonce. A vrai dire, je trouvais insensé le prix que l'agent me conseillait d'en demander. Rendez-vous compte, quinze mille livres pour un cottage ! Mais l'acheteur n'a pas tiqué.

— Ça fait une belle somme, dit Gray.

Il n'en croyait pas ses oreilles. La maison de miss Platt était du même type que la bicoque, en plus pimpant. Quinze mille...

— Le prix des maisons a triplé, par ici, ces dernières années. La forêt est zone inconstructible, voyez-vous, alors que nous sommes si près de Londres. J'ai acheté l'appartement au-dessus de chez ma sœur, à West Hampstead, parce qu'elle n'arrive plus à se débrouiller toute seule. Mais ça va être dur de s'y faire, après avoir vécu dans un endroit aussi délicieux, n'est-ce pas ?

— Je ne suis pas de votre avis, dit Gray en toute sincérité. Vous vous y plairez beaucoup.

— Espérons. Alors, vous viendrez ?

— Ça me ferait plaisir. (Une pensée le frappa soudain.) Au fait, les Willis seront là ?

— Je ne leur ai pas demandé. Ce sont des amis personnels à vous ?

— Mrs Willis serait plutôt mon ennemie personnelle : j'ai fait entrer les vaches dans leur jardin.

— Seigneur ! s'esclaffa miss Platt, vous ne devez pas être en odeur de sainteté, alors. Non, il y aura seulement ma sœur et moi, Mr Tringham et quelques amis de Waltham Abbey. Vous avez souvent des nouvelles de Malcolm Warriner ?

Gray répondit qu'il avait reçu une carte postale, une vue du Fuji-Yama, pour Pâques. Il remercia miss Platt de l'avoir raccompagné et sortit de voiture. Il prépara un pot de thé, s'assit dans la cuisine et se plongea dans *Le Prisonnier de Zenda* tout en grignotant des tartines de margarine. Le vent s'était levé et charriait des nuages qui créaient la pénombre bien qu'il fût encore tôt. Il alluma le four et l'ouvrit pour se donner un peu de chaleur.

Il fallut que le téléphone sonne pour qu'il se souvienne : jeudi, avait dit le laitier. Le soir où il décrochait toujours. Sa montre indiquait 7 h 10 : Microbe devait être partie à son truc maçonnique depuis une heure. Elle essayait de le joindre tous les jeudis soir, mais n'y parvenait jamais parce que la ligne était toujours occupée. Comme ce n'était pas le cas maintenant, elle avait réussi. Ce ne pouvait être qu'elle, bien sûr. Elle allait lui parler, il allait lui répondre, et dans une demi-heure, elle serait ici. Il se dirigea vers le téléphone, dans le « salon », sans se précipiter, d'un pas lent mais déterminé, comme un homme qui sait qu'il s'avance vers un destin inéluctable, redouté et désiré à la fois. Son cœur cognait à lui faire mal. Elle était dans ce téléphone comme le génie dans la lampe, attendant d'être libérée par le contact de sa main, pour se couler dans la pièce, l'emplir de blond roux, de vert cristal, d'*Amorce dangereuse.*

Il était tellement certain que c'était elle qu'il ne prit même pas la peine de dire bonjour ou d'annoncer le numéro de Mal. Il ne fit que murmurer « Salut » d'une voix triste, résignée, nostalgique, comme toujours quand il savait qu'elle était au bout du fil.

— Gray ? demanda Francis. Oh ! excusez-moi, je voudrais parler à Graham Lanceton.

Soulagement ou désespoir ? Gray ne savait ce qu'il ressentait, à moins que ce ne fût le début d'un infarctus.

— C'est moi, imbécile, qui veux-tu que ce soit ? Tu crois que j'entretiens des domestiques ?

— Je ne te reconnaissais pas.

— C'était pourtant moi. C'est moi.

— Dis, ça devient sérieux : à t'entendre, on dirait que tu perds complètement la boule, dans ton trou. Écoute, j'appelais au sujet de la boum. Est-ce que tu pourrais te débrouiller pour venir samedi ?

Dix minutes plus tôt, il aurait bondi de joie à cette seule pensée.

— Si tu veux, dit-il.

— Parce qu'il faut que j'aille chercher une vieille parente à la gare Victoria le matin, et je voudrais qu'il y ait quelqu'un ici quand les mecs viendront brancher une installation électrique spéciale pour la soirée. Un système de spots clignotants qui a un effet psychédélique dément.

— J'y serai. J'arriverai chez toi vers 10 heures.

Son cœur avait cessé de cogner. Lorsqu'il raccrocha, il se sentit abattu, pris de nausée. Il s'assit dans le fauteuil en skaï marron, dans la pénombre, les yeux fixés sur ce téléphone silencieux, secret, ce téléphone qui, avec une superbe indifférence, avait rétracté ses organes comme une anémone de mer, ignorait son regard et semblait s'être enfermé dans le sommeil, accroupi sur son support.

Bon Dieu ! il ne fallait pas commencer à investir cet objet d'une personnalité, ou il allait tomber en pleine névrose : ce serait l'hôpital psychiatrique assuré, avec électrochocs ou autres trucs de ce genre à la clef. Tout mais pas ça. Plutôt l'appeler tout de suite, lui parler, établir une bonne fois pour toutes qu'il ne devait jamais plus y avoir le moindre contact entre elle et lui.

Seulement ils se l'étaient déjà promis, ça. A Noël, n'est-ce pas ?

— Si tu me téléphones, je raccrocherai.

— C'est à voir, avait-elle répondu. Tu n'en aurais pas le courage.

— Inutile d'essayer, alors. Je te l'ai dit et répété : si tu ne peux pas arrêter de me harceler avec cette idée fixe que tu as, ça ne vaut plus la peine. Or, tu ne peux pas, manifestement.

— Je fais ce que je veux. Je fais toujours ce que je veux.

— Peut-être, mais je ne suis pas obligé de te suivre, moi. Au revoir. Pars tout de suite, je t'en prie. Nous ne nous reverrons pas.

— Pour ça, tu peux y compter, avait-elle dit.

Ils avaient donc bien conclu un pacte, n'est-ce pas ? Nous nous sommes aimés fidèlement pendant deux ans ou presque, ça n'a pas marché... Mais s'il y avait eu pacte, pourquoi continuait-il à espérer et à redouter ? Pourquoi décrochait-il le téléphone ? Parce qu'elle avait raison : si elle avait appelé, il n'aurait pas eu la volonté de résister. Parce qu'il était intimement, orgueilleusement convaincu que cinq mois de séparation seraient insuffisants pour qu'elle cessât de l'aimer. Mais peut-être, en tant que femme, ne voudrait-elle pas risquer l'humiliation de se faire raccrocher au nez. Il pouvait appeler, lui...

Microbe ne rentrerait pas avant 11 heures. Elle était seule, là-bas. C'était idiot : il se rendait malade, il se gâchait la vie. Il bondit de son fauteuil et alla au téléphone.

Cinq-zéro-huit... Il fit ces premiers chiffres rapidement, mais hésita avant les quatre derniers. Il reprit plus lentement, en composa trois, mit son doigt dans le trou du neuf, l'y laissa, immobile, tremblant, puis l'ôta. « Bon Dieu ! » lâcha-t-il en abattant le tranchant de sa main sur la fourche du combiné, qu'il laissa choir et aller heurter les clubs de golf en se balançant au bout de son fil.

Cela n'apporterait rien de bon : pendant un soir, une semaine peut-être, il serait tranquille avec elle, et puis tout recommencerait, ce harcèlement, ce seul et unique sujet de conversation pendant les moments où ils ne faisaient pas l'amour. Et il ne pourrait pas continuer à se dérober comme en été et en automne derniers car il serait bien obligé de lui dire, à la fin, qu'il ne pouvait pas le faire. De lui dire, comme à Noël, que si c'était ça ou ne pas la voir, il choisirait de ne pas la voir.

Il sortit par la porte de devant et resta planté parmi les fougères que les vaches avaient aplaties en une litière hirsute. Des branches noires fouettaient les nuages qui se ruaient dans le ciel. Là-bas, derrière lui, se trouvaient Loughton, La Petite Cornouailles, Combe Park. C'était quand même un comble, songea-t-il avec lassitude : ils étaient dévorés par l'envie de se voir, lui ici, elle là-bas ; seulement six kilomètres les séparaient ; le téléphone pouvait les relier en une seconde ; ni l'un ni l'autre n'éprouvait de scrupule à tromper Microbe ou de répulsion pour l'adultère ; et pourtant ils ne pourraient plus jamais se revoir parce qu'elle ne cessait de lui demander ce qu'il ne voulait — ce qu'il ne pouvait en aucune circonstance — accepter de faire.

4

Il ne dormit guère, cette nuit-là. Probablement pour ne pas avoir suivi la méthode par laquelle il trouvait habituellement le sommeil, la ressource de l'écrivain, celle de se raconter une histoire dès qu'il mettait la tête sur l'oreiller. Au lieu de cela, il fit ce qu'il avait fait pendant ces nuits d'insomnie de janvier : penser à elle et à leur première rencontre.

Et pourtant, il n'avait pas vraiment voulu aborder le sujet. Il méditait, allongé, sur les curieux effets du hasard, comme un infime changement d'intention, un mot prononcé par un ami, un retard, un léger accroc à la routine quotidienne peuvent inéluctablement décider du sort d'une vie. C'est ce qui s'était produit lorsque sa mère et Isabel, réveillées aux aurores par la sonnerie du téléphone — une erreur, bien sûr — et incapables de se rendormir, étaient parties plus tôt que prévu et avaient atteint Douvres à temps pour prendre le premier bateau. C'est ainsi qu'elles étaient arrivées à Chaumont avant la tombée de la nuit alors qu'elles n'auraient dû s'y trouver que le lendemain soir, date à laquelle Honoré n'était pas de service. Qui avait téléphoné ? Quel étourdi, en se trompant de numéro à 4 heures du matin, s'était fait involontairement l'instrument du destin et avait provoqué un mariage et un changement de nationalité?

Dans son cas à lui, il connaissait l'instrument du destin. Jeff s'était servi des vingt dernières feuilles de papier machine — pour quoi faire? taper des factures de déménagement? des inventaires de meubles? — et il avait dû aller chez Ryman en chercher une rame neuve. Il n'en restait plus en stock au magasin de Notting Hill. Pourquoi alors n'avait-il pas traversé Hyde Park à pied pour aller à celui de Kensington High Street? Parce qu'à ce moment précis, le feu était passé au rouge, le bus — le 88 — s'était arrêté, et il avait pu y monter. Etait-ce donc ce feu rouge qui avait scellé son destin? ou le commerçant qui n'avait pas fait rentrer sa commande de papier? ou Jeff? ou le client qui avait besoin de son inventaire de tables et de chaises avant de pouvoir déménager? Inutile de continuer: on peut remonter jusqu'à Adam et Eve, quand on essaye de savoir qui tient, qui déroule et qui coupe le fil du destin.

Le 88 l'avait emmené au bout d'Oxford Street et il était allé au Ryman de Bond Street. Il avait toujours aimé le contact d'une rame neuve, sous son bras. Pour lui, loin de le décourager, les feuilles vierges étaient un stimulant: ils les remplirait de richesses. Et c'est parce qu'il était plongé dans ces pensées, les yeux baissés au lieu de regarder où il marchait, qu'il percuta, avant même d'avoir eu le temps de l'apercevoir, la fille qui arrivait en face, si bien que tous les paquets qu'elle tenait dégringolèrent sur le trottoir et que son flacon de parfum se brisa sur le rebord d'une vitrine de magasin.

Il en sentait encore l'effluve, celui-là même qui avait si longtemps persisté dans la bicoque après s'être volatilisé en un nuage de vapeur entêtante dans le petit froid vif de janvier.

— Pourriez pas regarder où vous marchez?

— C'est valable pour vous aussi, avait-il répondu sur un ton peu amène. (Devant sa beauté, il s'était radouci :) Désolé pour votre flacon de parfum.

— Je veux, oui ! La moindre des choses serait que vous m'en achetiez un autre.

— D'accord, fit-il avec un haussement d'épaules. Où est-ce qu'on en trouve?

Il pensait qu'elle refuserait, alors. Elle dirait que ça n'avait pas d'importance. Elle lui donnait l'impression, tandis qu'ils se tenaient côte à côte pour ramasser les paquets, de ne pas être dans le besoin, loin de là : un manteau en renard roux de la même couleur que ses cheveux, des bottes de cuir crème, des bagues qui saillaient sous les gants en chevreau.

— Ici, avait-elle répondu.

Ça ne le mettrait pas dans la gêne. Sans être riche, il avait davantage d'argent que jamais auparavant — ou depuis. Il la suivit dans la chaleur du magasin bondé, sa rame de papier toujours sous le bras.

— Comment il s'appelle, votre machin ?

Il y avait toute une série de comptoirs de cosmétiques. Le sien avait un nom français.

— *Amorce dangereuse.*

Il lui en coûta près de six livres. Le prix était si exorbitant, et elle accepta avec une candeur tellement enfantine — elle s'amusa à lui en mettre une goutte sur le poignet en même temps que sur le sien — qu'il éclata de rire. Rire qui se figea aussitôt sur ses lèvres lorsqu'elle approcha son visage, lui posa une main sur le bras et demanda tout bas :

— Vous savez ce que ça signifie, le nom de ce parfum ?

— Appât dangereux, séduction dangereuse.

— Oui. Tout à fait approprié.

— Allons, venez : je vous offre un café, ou un verre de ce que vous voudrez.

— Impossible, je dois partir. Appelez-moi un taxi.

Il n'avait guère apprécié de se faire ainsi commander, mais il héla un taxi et donna au chauffeur une adresse dans la Cité qu'elle lui avait indiquée. Tandis qu'il lui tenait cérémonieusement la portière pour ironiser sur la façon de tout prendre pour acquis — de prendre, de séduire et de se dérober ensuite — elle l'interloqua en jetant négligemment par-dessus son épaule, en guise d'adieu :

— Demain 7 heures, New Quebec Street. D'accord ?

Et comment, d'accord ! C'était fantastique. Insensé, aussi. Le taxi démarra et se perdit dans la circulation. Sa main sentait l'*Amorce dangereuse*. Demain 7 heures, New Quebec Street. Il ne savait pas où c'était, mais il trouverait et y serait. Une petite aventure ne lui ferait pas de mal.

Avait-il vraiment cru cela, avant que les choses ne commencent : que ce serait une petite aventure ? Il se souvint que oui, et aussi qu'il n'y aurait sans doute pas de suite. Ce genre de rendez-vous qui laisse aux intéressés une trentaine d'heures de réflexion ne débouche généralement sur rien... Mais c'est ainsi que c'était arrivé. Jeff, en lui piquant le reste de son papier, l'avait, telle une main divine, envoyé à Bond Street et jeté dans les bras de cette fille. Jeff lui avait gâché sa vie, ce brave Jeff qui ne ferait pas de mal à une mouche. A Jeff il incombait de le sauver, donc, même s'il était évident que son salut ne pouvait venir que de lui-même.

Car c'était bien un gâchis. La rame de papier avait été entamée, certes, mais seulement d'une centaine de feuilles. Le moyen d'achever un roman sur les complexités de l'amour telles que vous les connaissez, lorsque vous vous apercevez, au beau milieu, que toutes vos conceptions étaient erronées ? Que l'idée sur laquelle vous le fondiez est insipide et fausse parce que vous venez de découvrir sa véritable signification ?

Toute cette nuit de rêve et de pensées l'avait comme purgé d'elle, au matin. Mais il savait que la catharsis n'était pas complète, que son succube viendrait à nouveau le posséder pendant la journée et la nuit suivante.

La tempête s'était déchaînée et hurlait, autour de la masure. Il n'y avait pas eu de courrier depuis des jours. Repoussant son obsession hors de son esprit excorié, il commença à s'inquiéter de son relevé de droits. Pourquoi n'était-il pas arrivé ? Le dernier datait de début novembre, portait sur les droits comptabilisés jusqu'en juin précédent, et le chèque lui était parvenu à la fin du mois. Voilà belle lurette qu'il aurait dû recevoir le relevé de ses gains de juin à décembre. *Peut-être n'y avait-il plus rien à venir.* Au temps où les chèques s'élevaient à plusieurs centaines de livres, il n'avait jamais songé à se demander si on prendrait la peine de le prévenir lorsque ses droits seraient épuisés. Peut-être que non. Peut-être les comptables, caissiers ou Dieu sait quoi suivaient-ils juste froidement une liste de noms et, arrivés à lui, disaient : « Graham Lanceton ? Terminé. Aux oubliettes, celui-là. »

Il partit chercher le relevé de novembre, qu'il avait rangé dans un coffret de sûreté de la chambre d'ami. Un numéro de téléphone figurait sur l'en-tête : celui des services de comptabilité, quelque part dans le Surrey, à des kilomètres de leur siège de Londres. Gray savait que tout écrivain sérieux et sensé composerait tout bonnement ce numéro, demanderait à parler à un responsable et s'enquerrait de ce qui avait bien pu arriver à ses sous. Mais cela ne le tentait guère : il ne pensait pas qu'il supporterait, à ce moment de sa vie, après la nuit qu'il venait de passer, d'entendre la voix bourrue d'un vague comptable lui annoncer, du haut de ses trois mille livres annuelles, que son compte à lui était vide. Non, décida-t-il, il attendrait encore une semaine, et s'il n'y avait toujours rien, il appellerait Peter Marshall. Peter était son directeur littéraire, un très brave type qui s'était montré adorable quand *Le Vin de l'étonnement* était — dans l'impatience générale — venu au monde, et tout aussi adorable, quoique navré, quand il devint clair que ledit *Vin de l'étonnement* n'aurait pas de petits frères. Bien sûr, il ne manquerait pas de demander si Gray écrivait quelque chose et de lui rappeler qu'ils avaient priorité sur tout roman qu'il pourrait produire, mais il ne se montrait ni harcelant ni désagréable. Il promettait gentiment, sur un ton rassurant, de s'occuper de ça. Peut-être même l'inviterait-il à déjeuner.

Cette décision prise, il inspecta son garde-manger. Il était évident que même lui ne pourrait pas tenir jusqu'à la fin du mois avec deux boîtes de compote, un paquet de gelée à la fraise et un morceau de pain viennois dur comme pierre. Il fallait se procurer de l'argent. Il songea vaguement à taper Francis mais c'était sans espoir, à s'adresser à l'Aide Sociale mais il devrait alors plier bagage et aller à Londres, à vendre sa montre à la boutique, près de l'Abbaye, mais ils étaient déjà en possession de son briquet et il ne voulait pas se séparer de cette montre. Une seule solution : piocher dans l'argent d'Honoré, du moins en partie. La simple pensée d'avoir à utiliser des fonds destinés à rejoindre une mère mourante l'horrifiait, mais il se persuada de ne pas être stupide : Honoré lui-même ne voudrait sûrement pas le laisser crever de faim.

La pluie s'était mise à tomber. A verse. Il prit le ciré de Mal à la cave, l'enfila et sortit en pataugeant pour se rendre à la banque. Là, il retira dix livres, bien décidé à les dépenser avec la plus grande parcimonie, prêt à s'astreindre au besoin à un régime de lait, pain et fromage jusqu'à l'arrivée du chèque. Il avait fourré l'argent dans une poche du ciré, et lorsqu'il fouilla dedans pour prendre un billet, une feuille de papier toute froissée vint avec. Il la lut et n'en crut pas ses yeux. Il n'avait pas mis ce ciré depuis près de six mois — il restait en général à la maison quand il pleuvait — et il devait y avoir enfoui la lettre du directeur des contrats de sa maison d'édition aux alentours du mois de décembre. Datée de juste avant Noël — oh ! Drusilla, ce Noël ! — elle l'informait que *Le Vin de l'étonnement* avait été vendu pour parution en feuilleton dans les périodiques yougoslaves et que les droits s'élevaient à cinquante livres. Une misère, mais de l'argent quand même. Il allait donc recevoir un chèque, on ne l'avait pas oublié. Bon, alors plus besoin de se priver. Il acheta de la viande fraîche, des légumes surgelés, du pain, du vrai beurre et deux paquets de cigarettes — il en alluma une aussitôt sorti du magasin.

Elle lui donna un peu la nausée. A part celle qu'il avait tapée à Isabel, c'était la première qu'il fumait depuis l'automne, lorsqu'il se servait toujours dans les paquets de king size de Drusilla.

— Il faut que j'arrête, avait-il dit alors. J'ai mauvaise conscience à me faire entretenir en clopes par Microbe. Parce que ça revient à ça, en fait.

— Débrouille toi pour que ce ne soit plus le cas.

— Tu ne vas pas recommencer. Laisse-nous un jour de répit.

— C'est toi qui as ramené la conversation sur Microbe.

Ils n'avaient pas parlé de Microbe, la première fois. Pas de chamailleries sur un surnom ridicule, seulement une vague allusion à un mari en arrière-plan.

— Mrs Harvey Janus ? Eh bien si j'étais Mr Harvey Janus, je n'apprécierais pas trop cette situation, mais puisque je ne le suis pas...

Lorsqu'il l'avait attendue sur New Quebec Street, dans ce complexe qui s'étend derrière Marble Arch, il ne connaissait même pas son nom. Elle était en retard, et il commençait à penser qu'elle ne viendrait pas. Son taxi arriva à 7 h 20, au moment où il était sur le point d'abandonner et de se dire que ce n'était plus la peine de se demander où il l'emmenerait, faire une balade, dans un pub — quoi d'autre ? Une main s'agita par la vitre ouverte et lui fit signe de venir. Elle était assise au milieu de la banquette et portait un pantalon blanc, une veste en fourrure, un immense chapeau noir et de non moins immenses lunettes de soleil. Des lunettes de soleil en janvier...

— Bonjour. Montez.

Il jeta un coup d'œil vers le chauffeur qui gardait son regard inexpressif obstinément braqué devant lui.

— Allez, montez. (Elle tapota du doigt sur la vitre de séparation.) A l'hôtel *Oranmore*, Sussex Gardens. Vous ne connaissez pas ? Rien d'étonnant. Descendez Sussex Gardens, c'est à peu près à mi-chemin sur la droite.

Dire que Gray était interloqué serait une litote. Il monta, l'interrogea du regard et referma la vitre de séparation entre le chauffeur et eux.

— Vous pourriez me mettre un peu au courant ?

— Pourquoi, il faut te faire un dessin? C'est un endroit tenu par une vieille bonne femme et son mari. Tu n'auras qu'à signer le registre quand on arrivera, et elle te dira que tu préfères sûrement payer tout de suite au cas où on voudrait partir tôt le matin.

— Mais, euh... (Il avait du mal à suivre une entrée en matière aussi rapide, sans le moindre préambule.) Rien ne nous pressera, demain matin, n'est-ce pas?

— Nous devrons être partis à 9 heures et demie ce soir, mon mignon. On a juste deux heures à nous. Elle nous demandera de laisser la clef sur la commode quand nous sortirons. Eh bien, t'as pas l'air trop dégourdi, pour ce genre de truc.

— Mes maîtresses ont généralement des appartements ou des chambres.

— Je suis une femme mariée, moi. Et juste pour ton information, sache que je suis censée prendre un cours de yoga, en ce moment. (Elle gloussa d'un rire niais dans lequel il crut discerner une touche de triomphalisme enfantin.) C'est pas pour tout le monde que je le sacrifierais.

— Je ferai mon possible pour que vous ne le regrettiez pas.

L'*Oranmore*, une maison du début du dix-neuvième, avait jadis dû être un bordel. Son nom s'étalait en lettres de néon bleu au-dessus de la porte, mais les deux O étaient éteints. Ils s'enregistrèrent sous le nom de Mr et Mrs Browne, et on leur donna la clef de la 3. La vieille femme se comporta exactement comme prévu.

— Vous avez un prénom, Mrs Browne? demanda Gray dans les escaliers.

— Drusilla, répondit-elle.

Il tourna la clef dans la serrure et ils pénétrèrent dans une petite chambre à lits jumeaux, avec un mobilier de brocante, un lavabo et un réchaud à gaz. Drusilla baissa le store.

— Drusilla comment ? fit-il en s'approchant d'elle. (Il lui posa les mains sur la taille, qu'elle avait très fine et délicate. Elle répondit instantanément à son contact par une pression du bassin.) Drusilla comment ?

— Janus. Harvey Janus.

— Eh bien si j'étais Mr Harvey Janus, je n'apprécierais pas trop cette situation. Mais puisque je ne le suis pas...

Il lui dégrafa sa veste de fourrure. Elle était nue, en dessous. Il s'était plus ou moins attendu à cela, et il commençait déjà à essayer de la jauger, de prévoir le genre de choses osées, provocantes, directes qu'elle lui réservait. Il n'en recula pas moins d'un pas avec un sursaut de surprise.

Elle se mit à rire. Elle ôta son chapeau, son collier de perles et sa veste, certaine, pensa-t-il, qu'elle dominait la situation et que tout se passerait comme elle l'entendait. Mais il en avait assez de la voir diriger la manœuvre.

— Tais-toi, dit-il en la saisissant à bras-le-corps. (Elle s'arrêta de rire, mais ses lèvres restèrent entrouvertes et ses yeux pâles s'arrondirent.) Voilà, c'est mieux, comme ça. Tu as dit deux heures, je crois ?

Elle n'ouvrit pratiquement plus la bouche, durant ces deux heures. Ce soir-là, elle ne lui révéla rien de sa vie et ne lui demanda son nom que lorsqu'ils furent redescendus, avant de passer devant la vieille femme qui, fidèle à son rôle, leur souhaita une bonne soirée et leur rappela de ne pas oublier la clef. Il la raccompagna à la station de métro de Marble Arch.

— Jeudi prochain ? Même heure, même endroit ? suggéra-t-elle devant les kiosques à journaux de l'entrée.

— Un baiser?

— Tu as vraiment une obsession buccale, fit-elle en tendant néanmoins ses lèvres fines, délicates et non maquillées.

Il avait acheté un paquet de cigarettes. Il en alluma une et entama à pied le chemin qui le séparait de Notting Hill. Quel goût avait-elle eu, cette cigarette? Il ne se rappelait pas. Celle qu'il fumait maintenant sentait la cendre, lui paraissait brûlante et âcre. Il la jeta dans les fougères, espérant presque qu'elle déclencherait un incendie qui embraserait tout Pocket Lane, consumerait son silence, sa solitude.

Il n'avait même pas vu le laitier, ce jour-là, et il ne vit personne d'autre à qui parler de tout le week-end. Pas le moindre pique-niqueur ne s'aventura aussi avant dans le chemin. Seul le vieux Mr Tringham passa devant la bicoque, lors de sa balade du samedi soir — la seule qu'il semblait faire de toute la semaine. Par la fenêtre, Gray le vit déambuler lentement, plongé dans la lecture d'un petit livre noir, et avancer sans lever la tête ni regarder autour de lui.

Le téléphone, toujours décroché, pendait au bout de son fil, muet.

5

Au milieu de la semaine, il reçut le dernier rappel de la Compagnie du Gaz et, par le même courrier, une carte de Mal. *De retour en août. Ne t'inquiète pas, on pourra partager la bicoque jusqu'à ce que tu trouves un autre toit.* Mal n'apprécierait pas de trouver le gaz coupé, ce qu'ils feraient certainement si la facture n'était pas réglée ce week-end. Or, aucun relevé de droits n'était encore arrivé.

Le vendredi matin, il faisait aussi froid qu'en novembre. Il avait gardé une cigarette, et il l'alluma en composant le numéro de son éditeur, à Londres.

— Mr Marshall est absent pour la journée, répondit la fille qu'on lui avait passée. Puis-je vous être utile ?

— Pas vraiment. Je le rappellerai lundi.

— C'est que Mr Marshall part en vacances lundi, Mr Lanceton.

Aïe ! Il passa le reste de la journée à se demander s'il devait appeler les bureaux de Surrey, mais à 5 heures et demie, il ne l'avait toujours pas fait, et il était trop tard à présent. S'il leur écrivait, à la place ? Bonne idée, il se demanda même pourquoi il n'y avait pas songé plus tôt. Quand il eut terminé la lettre, avec sa copie carbone, il resta assis devant la machine à écrire, les doigts posés sur le clavier, cherchant à se rappeler quand il s'en était servi pour la dernière fois. Le ruban était usé jusqu'à la corde, à force de taper toutes ces lettres à Microbe. L'absurdité, le grotesque de cette histoire le fit grimacer de dégoût. Comment avait-il pu être assez fou pour accepter de se laisser dicter par elle, debout à côté de lui, des horreurs pareilles? Il aurait intérêt à ne pas oublier ça, la prochaine fois qu'il serait tenté de l'appeler.

Le téléphone était raccroché, mais il paraissait engourdi, comme tombé en léthargie. Il n'avait pas émis le moindre son depuis qu'il avait transmis la voix de Francis, plus d'une semaine auparavant, et Gray n'avait plus eu les doigts démangés par l'envie de composer ce numéro de Loughton. Il posa sa lettre sur le rebord de la fenêtre du couloir. Demain, il achèterait un timbre.

Le samedi, c'était le jour du bain. Avant de venir à la bicoque, il n'avait pratiquement jamais passé un jour sans en prendre un. Maintenant, il comprenait pourquoi les pauvres sentent mauvais. Ils ont beau jeu, les propriétaires de salle de bains, de refuser de compatir avec les crados sous prétexte que ça ne coûte rien de se laver et que le savon est bon marché. Pour prendre un bain à la bicoque, il fallait faire chauffer de l'eau dans deux casseroles et dans un seau, et encore n'était-ce pas suffisant pour recouvrir les genoux. Au temps où il était l'amant de Drusilla, il sacrifiait souvent à ce rite, ou alors il se lavait entièrement au lavabo et à l'eau froide. Mais on ne faisait pas cela sans être motivé. Et motivé, il ne l'était plus guère après la séparation : le laitier ne s'approchait jamais très près de lui, et il n'en était plus à se préoccuper de ce que pensait la bibliothécaire. Aussi ne prenait-il maintenant de bain que le samedi. Il en profitait pour se laver les cheveux et passait ensuite dans la même eau son jean et son tee-shirt.

Le restant de la semaine, la baignoire servait à entreposer ses draps sales. Quand il prenait son bain, il les mettait par terre pour en faire une sorte de tapis absorbant. Il n'était pas allé à la laverie automatique depuis des lustres et ils commençaient à moisir. Il était juste en train de se rincer les cheveux, en les plongeant dans l'eau écumante de crasse, lorsque le téléphone dégorgea son déclic avertisseur. Dix secondes plus tard, la sonnerie retentit. Impossible que ce soit Drusilla, qui allait faire ses courses avec Microbe, le samedi. Il le laissa donc sonner jusqu'à ce qu'il se fût extirpé du bain et enveloppé dans une serviette grisâtre.

Il se dirigea vers le « salon » en maugréant et en laissant des empreintes de pieds humides sur le dallage du couloir. Il décrocha. Honoré.

— Je te dérange, il me semble, mon fils.

Pour une fois, il avait choisi le mot approprié. Gray resserra les plis humides de la serviette autour de lui.

— Comment va maman ?

— Justement, elle va mieux. Alors j'ai voulu t'appeler tout de suite et t'apprendre la bonne nouvelle pour que tu ne te fasses pas de souci.

C'est surtout qu'il veut récupérer son pognon, pensa Gray.

— Que vous êtes gentil, Honoré. Votre argent est arrivé à la banque. Il semble que je n'en aurai pas besoin, mais...

Honoré ne se fit pas faute de l'interrompre juste avant qu'il n'ait eu le temps de demander s'il pouvait garder les sous un peu plus longtemps.

— Justement, Grahamme, tu n'en as plus besoin, et le vieux Honoré il te connaît bien. (Gray pouvait le voir brandir son doigt décharné, avec un sourire de rapiat sur les lèvres.) Oh ! que oui il te connaît ! Alors ce sera mieux pour tous les deux que tu le renvoies avant de le gaspiller sur le vin et les femmes.

— Mais ce coup de téléphone, dit Gray, il va vous coûter cher.

— Très juste, aussi je vais te dire au revoir. Renvoie le tout aujourd'hui, je te rappellerai si l'état de Maman s'aggrave.

— Bon. Mais ne téléphonez pas le week-end prochain, parce que je serai chez Francis Croy. Vous comprenez ?

Honoré répondit qu'il comprenait très bien et raccrocha. Gray vida la baignoire. Il était évident que sa mère n'était pas à l'article de la mort et qu'il n'y aurait plus de voyage en France à payer, mais l'empressement d'Honoré à revoir son fric était absurde. Quelle différence pour lui de le récupérer, disons, quinze jours plus tard ? N'avait-il pas acquis une maison et une voiture grâce à l'assurance-vie du père de Gray ? Maintenant qu'il savait l'alerte passée, il se laissa aller à réfléchir à un sujet qu'il refusait d'habitude d'évoquer : le testament de sa mère. Honoré et lui devaient avoir des parts égales. Quand elle mourrait... Et puis non, il s'était déjà suffisamment enfoncé dans le sordide. Elle avait encore des années à vivre, et quand elle disparaîtrait, il aurait son propre appartement à Londres et un chapelet de romans à succès derrière lui.

La pluie s'étant remise à tomber, il étendit ses vêtements mouillés sur un fil, dans le « salon », et se plongea sans enthousiasme dans la lecture d'*Anthony Absolute* jusqu'à l'arrivée du laitier. Le chemin, détrempé, avait pris la teinte ocre jaune d'une boîte de peinture, et les roues de la fourgonnette en étaient toutes recouvertes.

— Beau temps pour les escargots. Dommage qu'on n'en soit pas.

— Bon Dieu que je déteste cet endroit ! s'écria furieusement Gray.

— Soyez pas comme ça, Mr Lanceton. Y en a qu'aiment bien, vous savez.

— Où habitez-vous ?

— A Walthamstow, avoua le laitier d'un air résigné.

— Eh bien moi, je préférerais habiter à Walthamstow. Que des gens puissent choisir de vivre ici, ça me dépasse.

— Mais la forêt d'Epping, c'est très recherché comme lieu de résidence. Du côté de Loughton, il y a des baraques qu'atteignent des prix, je vous dis pas. C'est vraiment de la banlieue ultra-chic.

— Mince, alors ! fit Gray d'un air convaincu.

Il n'aimait pas voir le laitier l'air aussi déconcerté, surtout à cause de lui. Mais ses paroles semblaient être entrées comme une lame dans une blessure déjà ouverte.

— Où habites-tu ? avait-il demandé à Drusilla en faisant glisser son doigt sur ce corps à la peau douce, d'une blancheur de lis et veinulé de bleu. Je ne sais rien de toi.

— A Loughton.

— Bon Dieu ! où ça se trouve, ça ?

Avec une mimique amusée, elle s'était tournée vers lui en gloussant de rire.

— Dans une banlieue ultra-chic. Tu prends la Ligne Centrale, et tu files jusqu'au bout sans t'arrêter.

— Et ça te plaît, de vivre là-bas ?

— Bien obligée d'être là où se trouve Microbe, pas vrai ?

— *Microbe* ?

— Juste un surnom, tout le monde l'appelle comme ça. (Elle posa son bras sur son épaule.) Vous me plaisez bien, Mr Browne. On va continuer à se voir, d'accord ?

— Pas dans ce bouge, en tout cas. Je ne pourrais pas aller dans ta banlieue ?

— Pour que tous mes voisins fassent des allusions devant Microbe pendant les parties de bridge ?

— Alors il faudra que tu viennes à Tranmere Villas. C'est pas grave, qu'il y ait d'autres gens dans l'appart ?

— Je vais te dire : je crois même que ça me plaira.

Gray arqua les sourcils.

— Ça ne cadre pas avec ton image de femme rangée, ça.

— T'en as de bonnes, toi ! Je l'ai épousé à dix-huit ans, c'est-à-dire il y a six ans. Je ne savais pas, à l'époque. Je ne savais rien de rien.

— Rien ne t'oblige à rester avec lui.

— Si, répliqua-t-elle. Et puis qui vous a demandé de critiquer mon style de vie, Monsieur le Juge Browne ? Ce n'est pas pour ça que je loupe mes cours de yoga, ce n'est pas pour ça que je me fous à poil devant vous. Si ça ne vous plaît pas, je trouverai vite quelqu'un qui ne sera pas de cet avis.

Cette affectation de dureté, son maniérisme lui seyaient aussi mal qu'un déshabillé vaporeux de call girl à une ingénue. Car c'est ce qu'elle était, une ingénue, une fille inexpérimentée qui se lance tardivement : il n'était que son second amant. Elle se garda bien d'avouer qu'elle ne connaissait l'*Oranmore* que pour y être venue avec son premier, ou New Quebec Street parce qu'elle y avait acheté un vase dans un magasin de céramiques. Elle le tut, mais il était écrivain et il devina. Il devina que cette hâblerie narquoise sortait tout droit des livres, ses vêtements de la publicité de Harrods dans les magazines de son coiffeur, ses airs cassants des films de cinémas de quartier. Il voulait découvrir la petite fille enfouie quelque part sous tous ces masques, petite fille dont elle cherchait, avec une force égale, à lui celer l'existence.

Lorsqu'il la retrouva à la station de métro, il comprit tout de suite qu'elle n'était jamais allée à Notting Hill auparavant : s'il ne l'avait pas arrêtée, elle aurait traversé pour aller du côté de Campden Hills. Nul autre que lui n'aurait pu, en la voyant, percevoir toute la naïveté qui se dissimulait sous cette longue robe pourpre, ces chaînes argentées, ce rouge à lèvres — car elle s'était maquillée, cette nuit-là. Il la conduisit à l'appartement et ce fut lui, pas elle, qui se sentit le plus gêné lorsque la porte de la chambre fut accidentellement ouverte et aussitôt refermée. Il l'emmena alors faire une promenade dans les rues grises, décrépites et exotiques de Kensington Nord, dans les petits pubs tapissés de panne rouge, avec leurs bars dorés. Ils virent un jeune garçon squelettique, aux yeux tristes, se piquer dans une cabine téléphonique. Ce spectacle ne sembla pas l'émouvoir. Elle voulait s'emplir les yeux de ce qu'elle appelait la vie, et y parvenait si bien qu'elle en oubliait presque toute son innocence.

— Dans ce cinéma-là, dit Gray, ils fument tous. L'air en est tout bleu.

— Et alors ? On a le droit de fumer dans les cinémas, en Angleterre.

— Mais je parle d'herbe, voyons, Drusilla.

La petite fille se tourna vers lui, furieuse.

— Et alors ? Qu'est-ce que j'y peux, s'il y a des trucs que je sais pas ? Je demande que ça, moi, de savoir. C'est pour apprendre que je veux être libre, et toi, tu trouves rien de mieux que de te foutre de moi. Ramène-moi à la maison.

Là, il avait effectivement ri d'elle, pauvre enfant qui, dans ses défroques de grande personne, voulait à la fois être libre et en sécurité à la maison. Petite fille bien à l'abri, à la vie bien protégée. Ensorcelé par cette innocence dénuée de la pruderie qui aurait dû l'accompagner, ne pensant qu'au plaisir qu'elle lui donnait, il n'avait pas saisi tout ce que cela signifiait, d'avoir une âme d'enfant dans un corps d'adulte, d'avoir la subtilité, le langage et la sensualité d'un adulte, mais pas sa dimension humaine.

— Je ne savais pas que tu avais une maison à toi, dit Gray lorsque Mal débarqua un soir à Tranmere Villas, une quinzaine de jours avant son départ pour le Japon.

— Ce n'est qu'une bicoque, tu sais : pas d'eau chaude, aucun confort. J'ai hérité d'une obligation qui est arrivée à échéance, il y a environ cinq ans, et on m'a conseillé d'investir dans l'immobilier, alors j'ai acheté ça. J'y vais quelquefois le week-end.

— Mais où diable se trouve-t-elle ?

— Dans la forêt d'Epping, près de Waltham Abbey. Je suis né tout près. Je te parle de ça parce que je me demandais si tu ne voudrais pas t'en occuper pendant que je serai parti.

— Moi, tu sais, je suis londonien. Alors c'est pas mon décor favori.

— Ce serait pourtant l'endroit idéal pour écrire ton chef-d'œuvre : isolé de tout, calme total. Je ne demanderais pas de loyer, je veux juste quelqu'un dans la baraque pour l'empêcher de s'écrouler.

— Désolé, mon vieux. Tu sonnes à la mauvaise porte.

— La bonne porte, ce serait peut-être celle d'une

agence immobilière, alors : je ferais mieux d'essayer de vendre. Je vais chercher du côté d'Enfield ou de Loughton.

— *Loughton* ?

— C'est à environ six kilomètres de là. Tu connais ?

— En quelque sorte, oui.

C'est ainsi qu'il avait accepté de s'occuper de la bicoque : parce qu'elle n'était qu'à six kilomètres de Loughton...

— Un drôle de petit sentier à l'est de Waltham Abbey ? dit Drusilla lorsqu'il la mit au courant.

— « Les lits sont toujours plus doux à l'est », comme dit le poète.

— Sur le lit, par terre, dans l'escalier, ou sur la table de la cuisine, c'est tout bon pour moi, mon chou. Je pense pouvoir y passer assez souvent.

Doux, il ne l'était plus, son lit. Rien n'est aussi dur qu'un lit déserté par un amant ou une maîtresse. C'est pour elle qu'il était allé là-bas, et maintenant il n'y avait que sa pauvreté pour l'y retenir.

Il régla sa facture de gaz, se rendit à la bibliothèque *(Le soleil est ma perte, Le Chapeau vert, Les Mines du Roi Salomon)* mais oublia d'acheter un timbre. Bon, il le ferait lundi, il posterait la lettre, et dès que l'argent arriverait — dès qu'il serait sûr de son arrivée — il s'en irait pour toujours traîner ses guêtres ailleurs.

Mr Tringham passa à 6 heures et demie en lisant son livre. Gray frémit. Dire qu'il pourrait un jour devenir comme ça, lui aussi : un ermite qui a appris à chérir sa solitude et la préserve jalousement. Il était temps de mettre les bouts.

6

Il posta finalement sa lettre le mercredi. Il ne lui restait plus, à ce moment-là, que sept livres de l'argent d'Honoré, et il devait les économiser pour les faux-frais qui, à Londres, ne manqueraient pas : il faudrait prévoir une bouteille pour Francis, des cigarettes et sans doute un repas dehors. Lundi, il serait à sec, mais son relevé et son chèque auraient eu le temps d'arriver, d'ici là. Il se donnerait alors une semaine pour nettoyer un peu la bicoque — faire disparaître ces taches sur le tapis de la chambre, par exemple — puis il demanderait à Jeff de l'aider à emporter ses affaires le week-end d'après. Avec un peu de doigté, il convaincrait peut-être Francis de l'héberger une semaine ou deux. Le plus chouette, bien sûr, serait de rencontrer à la boum une fille qui aurait une piaule à elle et à qui il plairait assez pour se mettre à la colle avec lui. Le hic, c'est qu'il faudrait qu'elle lui plaise aussi : Drusilla avait brûlé le terrain derrière elle.

— Après moi, avait-elle dit, les autres femmes seront comme du mouton froid.

— Tu sors ça d'un bouquin. On dirait du Maugham.

— Et alors ? C'est vrai quand même.

— Peut-être. Et les autres mecs, ils seront comment, pour toi ?

— T'as peur que je retourne avec Ian ?

Ian était son prédécesseur. Un sportif, prof de tennis ou quelque chose dans ce goût-là. C'est lui qui l'avait initiée aux charmes de l'*Oranmore*. Gray ne pouvait pas jouer avec elle au petit jeu de l'indifférence : il commençait à être vraiment accroché.

— Oui. J'ai peur de te perdre, Dru.

Au début, elle s'était moquée de la bicoque. Elle avait fouiné partout, riant d'un air incrédule, ébahie qu'il n'y eût pas de salle de bains ou de toilettes intérieures. Mais il lui fit comprendre que jouer les mijaurées sur des choses matérielles n'était plus de saison. Elle se mit vite au diapason et ne tarda pas à devenir aussi désordonnée que lui, à utiliser les soucoupes en guise de cendrier et à poser ses tasses de thé à même le sol.

— Qui est-ce qui fait le ménage, chez toi ? avait-il demandé.

— Il y a une bonne femme qui vient tous les jours, avait-elle répondu.

Mais il ne réalisait pas encore combien elle était riche.

Lors de sa première venue à la bicoque, il l'avait raccompagnée tout au long du chemin jusqu'à l'endroit où elle avait laissé sa voiture. Il s'attendait à une mini, il se trouva devant une Jaguar Type E.

— Arrête, tu me charries ! s'écria-t-il.

— Tu crois ? Tiens, regarde la clef : c'est la bonne.

— Mais à qui appartient-elle exactement ? A Microbe ?

— Non, elle est à moi. Il me l'a offerte pour mon dernier anniversaire.

— Bon Dieu ! il doit être bourré de fric. Qu'est-ce qu'il fait ?

— Marchand de biens, répondit-elle. Il touche à des tas d'affaires très lucratives.

Il comprit alors qu'elle n'avait pas menti quand elle lui avait dit que sa robe venait de chez Dior, que les bagues qu'elle ôtait avant de faire l'amour étaient en platine serti de diamants. Microbe n'était pas seulement à l'aise, du genre revenu confortable de cinq mille par an : il était riche, ce que tout le monde appelle riche — même les riches. Mais il n'était jamais venu à l'idée de Gray d'essayer de mettre la main sur la moindre parcelle de cette fortune. Il en faisait d'ailleurs un sujet tabou pour éviter de profiter de quoi que ce soit par son intermédiaire à elle. Il aurait trouvé abject que celui qui avait volé — au moins temporairement — sa femme à Microbe pût tant soit peu s'enrichir à ses crochets.

Elle avait lu et aimé son livre, mais ne le harcelait jamais pour qu'il continue à écrire. C'est une des choses qu'il appréciait en elle : elle ne lui faisait pas la morale. Pas de « Tu devrais te mettre au travail, songe à ton avenir, range-toi ». Les sermons n'entraient pas dans sa nature. Hédoniste dans l'âme, elle s'octroyait du bon temps, prenait de quiconque était prêt à donner, mais donnait amplement d'elle-même en retour. Et, précisément, elle lui offrait tant de sa personne, de son corps, de ses pensées, sans rien garder pour elle, lui confiant avec la simplicité d'une enfant les moindres de ses besoins et de ses émotions — même ceux que la plupart des filles auraient cachés —, que l'amourette se mua pour lui en amour. Il comprit qu'il l'aimait un jour où elle ne lui avait pas téléphoné : il passa la journée à l'imaginer morte, ou repartie avec Ian, et ne put fermer l'œil de la nuit, jusqu'au lendemain où elle l'appela enfin. Alors le monde lui parut transformé.

Elle venait parfois le matin, parfois l'après-midi. Mais le jeudi, c'était leur soir, le seul où elle était sûre d'être débarrassée de Microbe. Depuis, il ne se passait plus un jeudi qu'il ne l'imaginât, solitaire, laissant peut-être son téléphone décroché comme lui maintenant. Il resta un moment immobile à regarder l'appareil assourdi. Sans bouger, juste à le regarder. Maudit soit Alexandre Graham Bell ! Il y avait quelque chose de sinistre, d'effrayant, de terrible, dans un téléphone. Comme si toute la magie qui, dans l'ancien temps, s'était manifestée dans la divination, dans d'étranges communions par-delà les terres et les océans, dans les sorts oppresseurs d'âme, dans les incantations, dans les fétiches qui tuaient par le pouvoir de la peur, se trouvait à présent condensée, concentrée dans le corps compact et noir de cet instrument. Une nuit de sommeil, des jours de bonheur pouvaient dépendre de lui, sa sonnerie briser une vie ou déclencher le rire, réveiller les agonisants, apaiser les tensions qui envahissent le corps. On ne pouvait échapper à son omnipotence. Si vous possédiez — ou vous laissiez posséder par — l'une de ses formes allotropiques, votre sujétion était permanente, car bien qu'on pût le désarmer comme Gray venait juste de le faire, il n'était jamais complètement bâillonné : il recelait toujours une dernière arme secrète, le hurlement, le long cri interminable, sans cesse croissant, d'un animal certes encagé, mais toujours dangereux, qui était son ultime recours : ne l'avait-elle pas, une fois, fait mettre sous tonalité d'urgence[1] lorsqu'il avait par mégarde — il ne le

1. Sifflement aigu émis par le Central lorsqu'un téléphone est signalé décroché de façon anormalement longue. (N.d.t.)

faisait pas délibérément, à l'époque — mal raccroché le combiné ?

— Eh bien, mon mignon, on joue à cache-cache ? Tu n'arriveras pas à te débarrasser de moi aussi facilement, tu sais.

Il lui avait échappé, malgré tout, pour se réfugier dans les grands principes de sa liberté de misère. Facile, ça ne l'avait certes pas été, oh non ! Cela le serait-il un jour ? Il claqua la porte sur tout ce désordre poussiéreux et sur le téléphone bâillonné, puis monta à l'étage pour voir ce qu'il pourrait mettre à la soirée de Francis. Son seul pantalon et son seul veston potables étaient roulés en boule au fond de l'armoire de la chambre, où il les avait expédiés après ce fameux week-end à Londres avec Drusilla. Il sortit sa chemise en soie crème, sale et froissée, qui exhala des relents d'*Amorce dangereuse* lorsqu'il la déplia. Dans la pénombre de cette chambre au plafond bas, tandis que la pluie crépitait sur les ardoises du toit, il s'agenouilla sur le tapis en corde, avec ses taches de thé, et pressa la soie contre son visage pour s'imprégner de son odeur.

— Si je portais ta chemise pour sortir ? Elle me va ?

— Super, avait-il répondu. (Les cheveux, couleur renard doré, cascadaient sur la soie, les taches rouge sang de ses ongles paraissaient autant de rubis éparpillés dessus. Ses seins nus gonflaient le voile fin, presque transparent.) Mais moi, alors, qu'est-ce que je suis censé mettre ? Ton corsage ?

— Je t'achèterai une autre chemise, mon chou.

— Avec l'argent de Microbe ? Pas question.

Celui-ci était parti en voyage d'affaires en Espagne, ce qui leur avait laissé le week-end à eux alors que jusque-là, Gray n'était jamais parvenu à passer une nuit entière avec elle. Il aurait aimé faire une balade en Cornouailles, mais elle avait imposé Londres — et l'*Oranmore*.

— Je veux aller dans des endroits excentriques et décadents. Je veux explorer le vice.

— Doriana Gray, va !

— Tu ne veux pas comprendre, sacré nom ! Depuis dix ans, toi, tu es libre de faire ce que tu veux. Moi, mon père m'a toujours vissée, et je suis passée directement de lui à Microbe. J'ai toujours eu quelqu'un sur le dos, et je ne peux pas sortir sans raconter où je vais ou inventer des histoires. Il va falloir que je l'appelle à Madrid, tout à l'heure, pour qu'il se tienne tranquille. Tu ne sais pas ce que c'est de ne *jamais* pouvoir faire les choses que les autres font.

— Mais, chérie, fit-il tendrement, elles ne sont rien, ces choses, quand tu y es habituée. Elles deviennent ennuyeuses, ordinaires. Beaucoup de gens pensent que vivre où tu vis, avoir ton genre de fringues, ta voiture, tes vacances, est le summum du raffinement. Or, pour toi, tout ça doit être d'un banal...

— Je veux aller dans les endroits mal famés, fumer des joints, voir des mecs à poil et des films pornos.

Bon Dieu ! elle est pourtant si *jeune* ! Voilà ce qu'il s'était dit, à l'époque, et que tout cela n'était que fanfaronnade. Ils s'étaient querellés parce que son Londres à lui ne correspondait pas à celui qu'elle affirmait vouloir connaître. Parce que plutôt qu'à Soho ou à ce spectacle de travestis dont elle avait vu l'annonce, il avait voulu l'emmener dans ces petits cinémas au décor kitsch des années trente, dans les pubs de style Belle Epoque, à l'Orangerie de Kensington Gardens, au Théâtre Mercury, aux écuries et au canal de la Petite Venise. Mais elle s'était bien amusée, finalement, elle l'avait fait rire avec ses commentaires pleins d'esprit et ses réactions inattendues. Lorsqu'il se retrouva à la bicoque, une fois le week-end terminé, il ressentit son absence de façon si aiguë, si cruelle, que ce ne fut pas simple paresse s'il ne lava pas la chemise : il voulait préserver l'odeur qui l'imprégnait, sachant déjà, alors que leur aventure, après un an, approchait de son zénith, que le temps viendrait où il aurait besoin d'objets pour en évoquer le souvenir, de ces morceaux de vie pétrifiée où l'existence — il avait lu cela quelque part — est plus présente que dans son véritable vécu.

Eh bien il était venu, le temps du souvenir, et celui de l'oubli. Il emporta les vêtements, lava la chemise et descendit à la cave pour la repasser car il y avait là un vieux fer à charbon — à défaut d'un électrique — abandonné par les prédécesseurs de Mal.

Les marches de la cave étaient abruptes et plongeaient jusqu'à environ cinq mètres dans les entrailles de la forêt. C'était un local aux murs de brique, au sol dallé, où il entreposait son mazout et où les précédents propriétaires avaient abandonné un vélo cassé, une antiquité de machine à coudre, des carcasses de valises et des piles de vieux journaux jaunis. Le fer gisait avec son trépied — on appelait ça ainsi, semblait-il à Gray — parmi ces journaux. Il le remonta à la cuisine et le mit sur le réchaud.

A présent qu'il s'était décidé à quitter la bicoque, il n'avait plus à essayer de se convaincre que cette cuisine, où il avait passé la plus grande partie des deux dernières années, était moins sordide, moins immonde qu'il n'y paraissait. Il ne l'avait jamais vraiment nettoyée, depuis son arrivée, et toutes les fumées grasses s'étaient accumulées sur la peinture vert pomme. Sous l'évier recouvert de striures brunâtres, des torchons sales pendaient à un nœud de tuyauteries recouvertes d'une gangue de crasse. Une ampoule sans abat-jour, qui pendait du plafond craquelé et plein de toiles d'araignée, projetait une lumière maussade dans la pièce et faisait ressortir brûlures de cigarettes et taches de thé sur le lino. Mal lui avait demandé de veiller à ce que la bicoque « ne s'écroule pas », il était donc normal de la lui rendre propre. La semaine prochaine, ce serait le grand nettoyage.

Il faisait nuit noire, et le silence était total, hormis le crépitement menu de la pluie. Il s'extirpa du fauteuil Windsor et étendit son pantalon en velours sur le dessus de la baignoire. Il n'avait jamais manipulé de fer à repasser auparavant — uniquement des fers électriques à poignée isolante. Pourtant, il savait fort bien qu'il fallait se protéger avec un torchon ou une vieille chaussette avant d'empoigner un fer chaud. Mais là, il agit impulsivement, sans réfléchir. La douleur fut violente, fulgurante. Il lâcha le fer en hurlant des jurons, attrapa sa main brûlée et se laissa retomber dans le fauteuil.

Une large zébrure rouge lui traversait la paume. La douleur lui remontait jusqu'au poignet, jusqu'au bras, douleur presque assourdissante dans ce silence. Au bout d'un moment, il alla se passer la main sous le robinet d'eau froide. Le saisissement fut tel que les larmes lui vinrent aux yeux, des larmes qui ne se tarirent pas après qu'il eut fermé le robinet et se fut essuyé. Il se mit à pleurer pour de bon, emporté par une onde de chagrin. Il sanglotait sur ses bras repliés. Non pas à cause de sa brûlure, il le savait bien, même si c'est elle qui avait provoqué ses premières larmes. Mais parce qu'il ne s'était jamais entièrement libéré de toute cette souffrance accumulée. Il pleurait à cause de Drusilla, de cette incoercible obsession, de sa solitude, de cette sordidité, de ce gâchis.

Sa main était ankylosée et douloureuse. Pesante comme un morceau de chair inerte au bout de son bras, elle lui paraissait énorme. Il la laissa pendre hors du lit et des draps imprégnés de l'odeur aigre de transpiration, puis resta allongé, à se tourner et se retourner, jusqu'à ce que les oiseaux entament leur chant auroral et qu'une lumière d'un gris délavé vînt filtrer à travers les rideaux fanés. Alors il bascula enfin dans le sommeil et se mit instantanément à rêver de Microbe.

Il n'avait jamais vu le mari de Drusilla, et cette dernière ne le lui avait jamais décrit. C'eût été inutile, d'ailleurs : il savait fort bien à quoi un riche marchand de biens de quarante-deux ans pouvait ressembler, un homme que des parents facétieux ou des camarades d'école malintentionnés avaient par dérision appelé Microbe parce que, même enfant, il était déjà immense et gras. Un homme massif aux cheveux noirs et clairsemés, qui buvait sec et fumait comme un pompier, un homme vulgaire, taciturne et jaloux.

— De quoi te parle-t-il ? Qu'est-ce que vous faites quand vous êtes seuls ensemble ?

Elle eut un gloussement.

— C'est un homme, hein ? Alors devine un peu.

— Drusilla, c'est pas de ça que je parle (trop pénible à évoquer ou imaginer, même maintenant), mais de ce que vous avez en commun.

— On invite des voisins à venir prendre un verre, on va faire les courses le samedi et puis après, voir sa vieille maman — quelle barbe ! Ah ! il collectionne aussi les monnaies anciennes.

— *Chérie*, je t'en prie !

— Ben quoi ! c'est pas ma faute. Et puis il a sa Bentley rouge, qu'on prend pour se coltiner le restau avec ses vieux birbes de copains.

Microbe était dans cette voiture, la Bentley rouge que Gray n'avait jamaie vue, lorsqu'il rêva de lui. Lui-même se tenait sur le bas-côté d'une de ces routes de la forêt qui aboutissent au rond-point Wake Arms lorsque la Bentley arriva par la A 11. Il reconnut Microbe, au volant, à sa masse et à ses vêtements criards — ce sont d'ailleurs des choses qui se sentent, dans les rêves. Avec un crissement de pneus, la voiture qui faisait du cent trente ralentit brusquement, puis repartit dans un grondement de moteur. Mais au lieu de contourner le rond-point, Microbe fonça sur le monticule gazonné du centre : la voiture cahota, bondit en l'air et retomba, s'écrasa en prenant feu de l'autre côté, déclenchant la panique et un concert d'avertisseurs affolés parmi les véhicules qui venaient en face.

Gray s'approcha avec d'autres gens qui firent cercle autour du brasier. Dans la voiture en flammes, Microbe brûlait comme une torche vivante. Mais il était toujours conscient. Il souleva un visage carbonisé, léché par les flammes, en direction de Gray et cria :

— Assassin ! Assassin !

Gray essaya de l'arrêter, plaqua sa main sur les braises incandescentes de cette bouche, plongea ses doigts dans cette caverne de feu pour en étouffer les paroles. Il se réveilla, gesticulant dans le lit, le regard hébété sur la paume de sa main qui portait la marque des lèvres ardentes de Microbe.

7

Une longue cloque ovale lui traversait la paume, de l'index jusqu'au poignet. Il resta au lit presque tout le jeudi, dormant par intermittence, ne s'éveillant que pour jeter un regard obsessionnel sur sa blessure. Sa main était marquée comme d'un stigmate, et il lui sembla, impressionné par ce rêve terrible, que cette brûlure était une punition envoyée par Microbe.

Lorsqu'il se leva enfin, le soir tombait — le soir du jeudi. Il décrocha le combiné en le prenant délicatement entre le pouce et l'index. Le miroir embué et piqué lui renvoya une image cadavérique de son visage, les yeux enfoncés dans les trous sombres de leurs orbites. Un vers d'une pièce à demi-oubliée, de Shakespeare probablement, lui revint en mémoire lorsqu'il vit son reflet et la main brûlée qu'il avait levée pour faire écran. Il le récita à mi-voix: « Montrez-moi mon offense, que je voie son visage. Montrez-moi mon offense... » Car offense il y avait eu contre Microbe, contre elle et, peut-être plus grave encore, contre lui-même.

Il dormit d'un sommeil profond, cette nuit-là, glissant de rêve en rêve sans retour au conscient. Au matin, sa main l'élançait et palpitait comme un cœur surmené. Le pansement qu'il se confectionna avec des bandelettes déchirées dans un drap n'étant guère efficace, il dut préparer son thé et faire son repassage de la main gauche. Un petit trou apparaissait juste au-dessous du genou droit du pantalon — souvenir d'une cigarette de Drusilla : il resterait tel quel, vu que Gray n'était plus en état de se mettre au raccommodage.

— Je sais pas réparer ça, avait-elle dit. Je suis nulle, en couture.

— Comment tu fais, alors, quand tes vêtements ont besoin d'être reprisés ?

— Je les balance. J'ai une tête à porter des vêtements reprisés ?

— Je peux pas les balancer, moi. J'ai pas les moyens.

Elle fit quelque chose de très rare, chez elle : elle l'embrassa. Elle avança ses lèvres délicates comme des pétales de fleur, d'orchidée peut-être, et lui déposa un baiser juste sur le coin de la bouche. C'était un geste tendre, et quelque chose en lui, quelque chose dont elle s'était trop souvent moquée pour qu'il ne fût pas méfiant devant la tendresse, lui fit dire :

— Fais gaffe, Drusilla, tu vas finir par m'aimer, si ça continue.

— Va te faire voir ! Et puis j'en ai rien à foutre, que tu crèves la dalle. Je voulais te donner de l'argent, mais t'en veux même pas.

— Pas celui de Microbe, non.

Son pantalon n'avait donc jamais été réparé, pas plus que sa montre qui s'était arrêtée cette même semaine et refusait de se remettre en marche. Le jeudi soir, quand ils s'installèrent enfin dans le « salon » devant le feu qu'ils avaient préparé après avoir fait l'amour dans la bicoque et être rentrés d'une promenade, elle lui en offrit une nouvelle. C'était celle qu'il portait maintenant et qu'il ne revendrait jamais quoi qu'il arrive.

— Elle est superbe et je t'adore, mais je ne peux pas accepter.

— Il n'y a pas un sou de Microbe là-dedans : mon père m'a donné un chèque pour mon anniversaire.

— C'était un peu apporter de l'eau à la mer, non ?

— Peut-être, mais de l'eau propre. Elle ne te plaît pas ?

— Si, beaucoup. J'ai l'impression de me faire entretenir, mais elle me plaît beaucoup.

Ces yeux gris-bleu, comme un nuage laissant transparaître l'azur du ciel, cette peau blanche veinulée de bleu sur les tempes, ces cheveux semblables aux flammes de la cheminée...

— J'aimerais bien que tu te fasses entretenir, que Microbe meure et qu'on ait tout ce magot rien que pour nous.

— Quoi, tu veux m'épouser ?

L'idée ne lui était jamais venue à l'esprit.

— Au diable le mariage ! Ne parle pas de ça. (Elle frissonna à ce mot, comme d'autres à l'évocation du cancer.) Tu ne veux pas te marier, dis ?

— Je voudrais vivre avec toi, Dru, être avec toi tout le temps. Marié ou pas, ça m'est égal.

— La maison toute seule va déjà chercher une fortune. Il a des centaines de milliers de livres à la banque, en actions, des trucs comme ça, je ne sais quoi. Ce serait chouette qu'il ait un infarctus, hein ?

— Pas pour lui, avait-il répondu.

La montre qu'elle lui avait offerte juste dix mois avant la fin de leur liaison lui indiqua qu'il était maintenant midi. Midi de vendredi, le laitier ne passerait donc pas avant 3 heures. Il se rendit à la bibliothèque de Waltham Abbey pour rapporter ses bouquins sans en prendre de nouveaux, puis à la banque où il sortit ses sept dernières livres et ferma son compte. Sur le chemin du retour, il rencontra le laitier qui lui proposa de le ramener à la bicoque dans sa fourgonnette.

— J'ai l'impression que le soleil va taper, demain. Vaudrait mieux que je mette le lait à l'ombre si vous êtes pas là quand je passe, d'accord?

— Je n'aurai pas besoin de lait jusqu'à lundi, merci. Et même plus besoin du tout, d'ailleurs, parce que je déménage la semaine prochaine. (Cela l'inciterait à partir. Il pourrait toujours acheter du lait à Waltham Abbey, les derniers jours.) Je m'en vais pour de bon.

Le laitier en parut tout retourné.

— Evidemment, ça me fera moins de boulot, de ne pas avoir à venir jusqu'ici. Mais vous allez me manquer, Mr Lanceton, parce que même quand ça allait pas, je pouvais toujours compter sur vous pour me remonter le moral.

C'est ça, pensa Gray, le clown triste. Tout ce temps où il avait traîné sa misère, le laitier n'avait vu en lui qu'un amuseur toujours prêt à la rigolade. Il aurait aimé trouver une dernière petite blague — vraiment pas besoin de se casser la tête — mais il n'y parvint pas.

— Oui, on a toujours trouvé à se marrer, tous les deux.

— C'est ça qui fait tourner le monde, dit le laitier. Euh... ça ne vous ennuie pas si je vous rappelle que vous me devez quarante-deux *pence*? (Gray le paya.) Vous partez quand?

— Demain, mais je reviendrai pour quelques jours.

Le laitier lui rendit sa monnaie puis, de façon inattendue, lui tendit la main. Gray ne put que la lui prendre et se faire atrocement serrer sa brûlure.

— Bon, eh bien au revoir, alors.

— Au revoir, répondit Gray, bien que la probabilité pour qu'ils se revoient fût pratiquement nulle.

Il n'avait rien à lire, et sa cloque l'empêchait d'entreprendre son grand nettoyage. Il passa donc le restant de cette chaude journée à trier ses papiers. Certains se trouvaient dans le coffret, les autres entassés pêle-mêle sur le fourneau inutilisé. Cette tâche ne fut guère de nature à le réjouir : dans la pile du fourneau, il retrouva quatre vieux relevés de droits, chacun porteur d'une somme plus maigre que le précédent, un rappel pour un arriéré d'impôt impayé, et — plus déplaisant encore — une douzaine de brouillons ou d'ébauches de lettres à Microbe.

Les relire lui donna presque la nausée. Ce n'étaient que des morceaux de papier froissés, défraîchis, marqués de traces de doigts et dont certains ne portaient que deux ou trois lignes dactylographiées, mais ils avaient été rédigés pour détruire, pour immoler un homme que les flammes n'avaient finalement dévoré qu'en rêve.

Chacune des lettres était datée, et la série s'étalait sur une période allant de juin à décembre. Bien qu'il n'ait jamais véritablement eu l'intention d'en envoyer aucune, bien qu'il ne les ait tapées que sur son insistance à elle, il se sentait là devant un aspect totalement inconnu de lui-même, devant un autre moi cruel et rusé qui, profondément enfoui sous des couches d'inactivité, de talent, d'humanité et d'équilibre mental, n'en était pas moins réel. Pourquoi ne les avait-il pas brûlées depuis longtemps ? Eh bien il allait le faire maintenant.

Dans un espace dégagé d'orties, près de la palissade du fond, il alluma un feu et y jeta les lettres. Une fine colonne de fumée, pailletée d'étincelles rouges, s'éleva dans l'air nocturne. Tout fut consumé en quelques minutes.

Il était si rare pour lui de se lever aussi tôt qu'il n'avait jamais vu la forêt drapée dans le manteau doré des brumes matinales. L'écureuil était assis sur l'emplacement du feu.

— Viens t'installer à l'intérieur si tu veux, dit Gray. Je t'invite. Tu pourras entasser tes noisettes à la cave.

Il prit un bain, enfila un tee-shirt, et son pantalon de velours en espérant que le trou ne se verrait pas. Il fallait préserver la chemise en soie pour le dimanche soir, aussi la rangea-t-il dans son sac, avec sa brosse à dents et un pull. Inutile d'aller dans le « salon » ou de changer ses draps répugnants avant de partir. Il fit la vaisselle, par contre, et la mit à égoutter. A 9 heures, il était en route pour la gare de Waltham Cross.

Le métro ne venait pas jusque-là. Il fallait prendre un train qui reliait Hertford, ou quelque patelin aussi éloigné, à la station de Liverpool Street. Les sempiternels pouvoirs publics avaient eu une vue particulièrement restrictive des besoins en transports des habitants de Pocket Lane et de ses environs. On pouvait aller à Londres, à Enfield, ou dans des endroits du Hertfordshire qui n'intéressaient personne, mais très difficilement se rendre du côté de Loughton, si ce n'est en voiture ou à pied. La seule fois où il y était allé, il avait marché jusqu'au rond-point de Wake Arms et pris le bus 20 qui venait de Epping.

— Je ne comprends pas pourquoi tu tiens tant à voir où j'habite, avait-elle dit, mais tu peux si ça te chante. Passe jeudi soir, par exemple. Cette fois seulement, hein? Si des voisins te voient, je dirai que tu vendais des encyclopédies. Ils sont persuadés que je m'envoie en l'air avec les fournisseurs, de toute façon.

— Eh bien j'espère que tu t'enverras en l'air avec celui-ci.

— Tu me connais.

La connaissait-il vraiment? Le jeudi qu'ils avaient choisi se situait au début du printemps, à l'époque où les arbres de la forêt, encore sans feuilles, s'étaient parés des atours brun doré de leurs bourgeons, où les prunelliers étaient en fleurs et les cenelles des houx encore rouges. Il prit le bus jusqu'à l'un des étangs situés en bordure de forêt, une carrière immergée, dominée par les villas qui, dans ce secteur, surgissaient de terre sur la moindre parcelle de terrain constructible. Il y avait partout des arbres, si bien qu'en été, les maisons paraissaient se trouver dans la forêt elle-même. Ce devait être là, se dit-il, dans une de ces immenses villas de style Tudor, qu'elle habitait sûrement.

Elle lui avait fait un plan et expliqué le chemin à suivre. Le soleil s'était couché, mais la nuit ne tomberait pas avant une heure. Il suivit une route qui longeait une petite vallée verdoyante, parsemée de buissons, au-delà de laquelle s'élevaient les ondulations bleu sombre de la forêt. De l'autre côté, de vieux cottages en bois avec le toit en ardoise, comme la bicoque, des maisons neuves et un pub. On appelait le district dont il approchait — celui où elle habitait — la Petite Cornouailles, en raison de son profil extraordinairement vallonné. Du haut de ces collines, disait-elle, on pouvait voir Loughton au fond d'une cuvette, et, plus loin, les « belles » banlieues de l'Essex métropolitain, les docks, parfois même les reflets de la Tamise.

Il faisait trop noir pour cela lorsqu'il parvint au sommet de la colline. Les lumières s'allumaient partout. Il bifurqua sur Wintry Hill et se retrouva dans une impasse avec portails et hautes palissades, grands arbres en surplomb, allées interminables disparaissant au creux des taillis pour mener aux maisons masquées par la végétation. Derrière elles, la forêt tirait son rideau sombre contre l'or pâle du ciel. Il sentit combien cet endroit différait du quartier de l'étang : ici, c'était une grandeur, une magnificence presque inquiétantes. Sa maison — celle de Microbe — s'appelait Combe Park, un nom qu'elle avait prononcé d'un air hautain et affecté, et qui l'avait fait rire, tellement il le trouvait grotesque et prétentieux.

Mais il ne l'était pas, prétentieux. Au bout de l'impasse, il se trouva face à un portail en fer forgé qui était ouvert. Le nom de Combe Park y était inscrit, et Gray réalisa tout de suite qu'il ne s'agissait pas d'une appellation pompeusement attribuée à un simple pavillon de trois ou quatre pièces. Le parc était immense. Il comprenait, outre les pelouses et parterres de fleurs, un verger qui n'était qu'un tapis de jonquilles, et un étang, aussi vaste qu'un petit lac, entouré de rocailles sur lesquelles des cyprès, deux fois hauts comme un homme, paraissaient nains à côté des saules et des cèdres qui les dominaient. Les voisins auraient eu besoin de périscopes, en même temps que de jumelles, pour apercevoir la maison à travers l'écran de ces arbres. Elle était pourtant de dimensions respectables : il vit une énorme bâtisse carrée à toit plat avec balcon, recouverte en partie de stuc blanc et en partie de bois de cèdre, et une sorte de solarium vitré sur le toit. Une terrasse dallée en pierres d'York s'étendait devant la porte d'entrée et les immenses baies vitrées panoramiques. Des tables et des chaises en métal blanc y étaient disposées, ainsi que des plantes à feuilles persistantes dans des vasques de marbre.

Impossible que tout cela fût à elle, avait-il d'abord cru. Comment aurait-il pu connaître — et encore plus aimer — quelqu'un d'aussi riche ? C'était bien Combe Park, pourtant, pas de doute. Les portes grandes ouvertes du garage à trois — ou quatre ? ou cinq ? — places, déjà une belle maison à lui seul, laissaient voir la Type E réduite à l'échelle d'une Mini dans l'immensité de son abri. La Bentley rouge n'était pas là pour lui tenir compagnie, mais il resta néanmoins pétrifié devant le portail. Il ne voulait pas entrer. Non, il n'entrerait pas. Oubliée, son insistance pour se faire inviter. Il ne songeait qu'à sa misère à lui et à sa richesse à elle : s'il posait le pied sur cette allée, s'il avançait vers elle qui le suivrait du regard, il aurait l'impression d'être le jouvenceau du village envoyé quérir par la châtelaine. Et puis cela risquait d'éveiller sa propre convoitise. De lui faire penser à cet infarctus qu'elle avait souhaité à Microbe.

Il était donc retourné vers l'arrêt du bus, qu'il attendit une demi-heure, puis à pied jusqu'à Pocket Lane. Il n'était pas rentré depuis cinq minutes que le téléphone s'était mis à sonner.

— Non mais, ça va pas ? Je te vois au portail, et le temps que je descende ouvrir, plus personne. T'as eu la trouille ?

— Seulement de ton argent, Drusilla.

— C'est-pas-vrai ! avait articulé cette voix de petite fille aux accents traînants de femme habituée à chasser le mâle. Tout pourrait être à toi s'il avait un infarctus ou un accident de voiture. A toi et à moi. Ce serait super, non ?

— Pas la peine de fantasmer comme ça, avait-il répondu.

Il prit le métro à Liverpool Street Station et descendit à Bayswater. L'animation de Queensway, avec ses magasins de vêtements et de fruits, la Coupole de Whiteley, les gens habillés dernier cri, tout cela le ragaillardit. Et le temps était parfait : avec ce ciel d'un bleu éclatant, Porchester Hall avait presque l'air d'un tableau classique à ses yeux affamés de Londres.

Francis habitait une de ces vieilles rues du nord de Westbourne Grove bordées de maisons victoriennes, toutes différentes les unes des autres, chacune avec son jardinet de massifs et de fleurs des villes dont le rose et l'or sont comme affadis par la poussière et le soleil. L'appartement de Francis avait été aménagé dans le jardin d'hiver de l'une de ces maisons, véritable Crystal Palace de verre rouge et bleu cloisonné en deux pièces, avec salle de bains et cuisine attenantes.

Il ouvrit la porte en verre pourpre devant Gray.

— Bonjour, dit-il. T'es pas en avance. Heureusement que je n'aie pas à aller chercher ma tante, en fin de compte. Bon, on n'a qu'à commencer à bouger les meubles. Je te présente Charmian.

— Salut, fit Gray en le regrettant aussitôt, car c'est ainsi qu'il s'adressait à Drusilla.

Charmian, sans doute la chasse gardée de Francis, n'était pas de toute façon le genre de fille qui le débarrasserait de Drusilla : elle était disgracieuse, avec sa taille pleine et son nez camus. Le visage encadré d'une cascade de boucles blondes, elle portait une mini-jupe qui découvrait des cuisses épaisses. Assise jambes croisées sur un rebord de fenêtre, elle mangeait une banane tout en regardant Gray aider Francis à transporter les énormes meubles victoriens, un buffet et une commode, du salon dans la chambre, puis à sortir les lits qui serviraient de divans pour les invités fatigués, lascifs ou défoncés. Il portait un épais bandage à la main, mais sa brûlure lui élançait et la douleur irradiait dans tout son bras.

— J'ai essayé de te téléphoner pour te dire de ne pas te déranger avant demain, fit Francis d'un air las, mais ça sonnait toujours occupé. Pas possible, tu dois laisser décroché. T'as peur de quoi? De tes créanciers?

Charmian partit d'un rire aigu.

Gray réalisa qu'il n'avait pas raccroché. Depuis jeudi soir.

Les électriciens vinrent bientôt installer les lumières clignotantes. Ils y passèrent des heures, buvant du mauvais thé en sachets préparé par Charmian. Gray se demanda quand le repas viendrait, Francis et la fille ayant dit qu'ils étaient au régime. Les électriciens s'en allèrent enfin et tous trois descendirent au pub, le *Redan*, où Francis et Charmian prirent du jus d'orange — régime oblige — et Gray de la bière. Il était près de 6 heures.

— J'espère que tu as de l'argent sur toi: j'ai laissé le mien dans mon autre veston.

Gray dit que oui. Il trouva que Francis avait de la chance de posséder un autre veston.

— Mais quand tu auras fini ton jus d'orange, tu devrais peut-être retourner le chercher pour qu'on puisse aller manger quelque part.

— Euh, en fait, on va dîner chez des gens qu'on ne connaît pas très bien, Charmian et moi. Alors on peut difficilement emmener quelqu'un d'autre avec nous.

— Pas très bien, répéta Charmian qui regardait fixement Gray depuis quelques minutes et se lança soudain dans tout un sermon. J'ai lu votre livre, Francis me l'a prêté. Je trouve que c'est vraiment dommage que vous n'écriviez plus — enfin, que vous ne fassiez plus rien. Je sais que ça ne me regarde pas, mais...

— Non, ça ne vous regarde pas.

— Allons, du calme, dit Francis.

Elle poursuivit, sans leur prêter la moindre attention.

— Vous vivez dans cet horrible trou comme une sorte de hippie de campagne et vous êtes déphasé, vous planez complètement. Parce qu'enfin, vous laissez votre téléphone décroché pendant des jours, et quand vous vous trouvez avec des gens, la moitié du temps, vous êtes ailleurs, si vous voyez ce que je veux dire, on dirait que vous êtes toujours en plein trip. Personne ne pourrait *croire* que c'est vous qui avez écrit *Le Vin de l'étonnement*.

Gray haussa les épaules.

— Je vais manger un morceau, dit-il, et puis j'irai au cinéma. Bonne soirée avec les gens que vous ne connaissez pas.

Elle a raison, se dit-il en partant de son côté à la recherche d'un restaurant chinois pas trop cher. Sûr que c'est pas ses oignons, à cette connasse, mais elle a raison. Il va falloir faire quelque chose, et vite.

Les gens assis aux tables voisines, et ce qu'elle avait dit sur son trip, ravivèrent des souvenirs que Londres n'avait pas contribué à exorciser comme il l'avait espéré. Il prit un morceau de sucre dans le bol en porcelaine fine comme du papier à cigarette qui se trouvait en face de lui et se mit à le sucer. Ce n'était que du sucre, ça ne pourrait donc pas déformer la réalité plus qu'il ne pouvait la déformer lui-même...

Drusilla au printemps, Drusilla avant que les lettres ne commencent :

— Tu connais un tas de gens un peu à part, n'est-ce pas ? avait-elle dit. Dans cette bande de Westbourne Grove et Portobello Street ?

— Quelques-uns, oui.
— Gray, tu ne pourrais pas nous trouver un peu de sucre ?
Il s'attendait si peu à l'entendre parler de cela qu'il répondit :
— Du sucre ? En morceaux ou en poudre ?
— Je ne te parle pas de cuisine, idiot ! Du LSD, je veux dire, de l'acide. Tu ne pourrais pas nous dégoter un peu d'acide ?

8

D'abord au Classic, le cinéma de Praed Street, où il vit un vieux film suédois plein de pâles personnages strindbergiens dans les forêts des contes de Grimm. Puis, comme la nuit était belle et douce, il traversa Sussex Gardens vers le sud.

L'*Oranmore* n'était plus là. Ou plutôt si, mais repeint en un blanc immaculé. Une nouvelle enseigne, en néon vert cette fois, s'étalait au-dessus du porche : *Grand Europa*. Dans le genre pompier, au contraire de Combe Park, on ne faisait pas mieux. Un grand car de tourisme allemand, garé juste devant, dégorgeait ce qui ressemblait au voyage organisé des dames du Centre Communautaire de Heidelberg. Lesquelles dames, grasses et lasses, portant toutes chapeau, se dirigèrent d'un air éberlué vers l'entrée, sous les injonctions pressantes de guides polyglottes. Gray se demanda si la vieille leur remettrait à chacun une clef en leur disant de la laisser sur la coiffeuse puisqu'elles devaient partir tôt le matin. Il éprouva un sentiment de compassion pour ces braves Allemandes auxquelles on avait dû promettre un hébergement au cœur des quartiers chics de Londres, dans un petit hôtel au charme désuet à deux pas d'Oxford Street et de Hyde Park, et qui se retrouvaient à l'*Oranmore*.

Car aucune d'entre elles ne pourrait y voir, comme lui, les vestiges d'une splendeur passée.

Un jeune porteur descendit le perron pour venir les aider, suivi d'une radieuse jeune femme. Les anciens occupants semblaient avoir disparu en même temps que l'ancien nom. Il obliqua sur Edgware Road avec, au fond de lui-même, l'envie douloureuse, dévorante, d'entendre sa voix encore une fois, juste une fois.

Les lettres glissèrent derrière le rideau sombre d'un recoin de sa mémoire tandis que jaillissait en pleine lumière — lumière aussi vive que celle qui illuminait cette rue — toute la joie qu'elle lui avait donnée. Que ne pouvait-il la posséder sans exigences, sans complications ! Non, impossible. Et pourtant... Entendre sa voix, une fois, une fois seulement...

A supposer qu'il appelle maintenant : il était près de minuit, elle serait dans l'un des lits de la chambre qu'elle partageait avec Microbe — celle qui donnait sur les vagues sombres de la forêt. Microbe devait être là aussi, peut-être déjà couché, peut-être dans son fauteuil, plongé dans un de ces bouquins dont il était friand, les mémoires de quelque gros industriel ou général en retraite. Elle, elle lirait un roman. Bien qu'il ne fût jamais allé dans cette chambre, il les voyait, lui, fruste et bouffi, des boucles de poils bruns dépassant du col ouvert de son pyjama de soie rouge et noir, et elle, frêle jeune fille dans ses franfreluches blanches, son ardente chevelure défaite, tous deux dans le luxueux décor d'une chambre de richards : carpettes aux longs poils blancs, rideaux de brocart blanc, mobilier Pompadour ivoire et or. Entre eux, blanc également, silencieux, menaçant : le téléphone.

L'appeler, d'accord. Mais pas lui parler. De cette façon, il entendrait sa voix. Quand, faute du « Salut » habituel, elle ne savait pas qui était au bout du fil, elle jetait un « Oui ? » froid et distant. Elle dirait donc « Oui ? » puis, en l'absence de réponse, « Alors ! qui c'est ? ». Mais il ne pouvait pas téléphoner maintenant, pas à une heure pareille.

Il poursuivit son chemin vers Marble Arch et passa devant le cinéma Odeon. Les derniers spectateurs entraient pour la séance de minuit. Il y avait encore beaucoup de monde dehors. Il savait qu'il ne pourrait se retenir de l'appeler. Comme s'il était trop tard pour faire machine arrière, alors qu'il n'avait encore rien fait de décisif, si ce n'est dans son esprit.

Il descendit dans la station de métro de Marble Arch, entra dans une cabine téléphonique. Pour deux *pence*, il s'offrirait sa voix, un mot ou deux, quelques phrases avec un peu de chance, prix d'ami. Son cœur cognait fort dans sa poitrine, il avait les mains moites de sueur. Et si c'était quelqu'un d'autre qui répondait ? S'ils avaient déménagé ? Ils pouvaient être partis en vacances, avoir pris le premier des deux ou trois congés annuels qui, dans le passé, lui avaient apporté cartes postales et solitude. De sa main humide, il souleva le combiné et plaça son index sur le numéro cinq du cadran.

Cinq, zéro, huit, puis les quatre autres chiffres, y compris le neuf final. Il s'adossa au mur, le contact du combiné glacial contre sa paume stigmatisée. Je suis dingue, se dit-il, je suis en train de craquer... Ils sont peut-être à l'auberge avec leurs amis... Le bip-bip aigrelet de la sonnerie. D'un geste mal assuré, il poussa la pièce dans la fente : elle tomba dans l'appareil avec un bruit creux.

— Oui ?

Pas la voix de Microbe. Pas celle d'un nouvel occupant. Bien la sienne. Le monosyllabe fut répété avec impatience.

— Oui ?

La promesse qu'il s'était faite de ne pas répondre ne fut guère difficile à tenir : il n'aurait pas pu parler. Seulement ce halètement lourd des hommes qui appellent les femmes la nuit pour les effrayer. Elle ne se laissa pas démonter.

— Alors ! qui c'est ?

Il écouta, non pas comme si elle s'adressait à lui — ce qui n'était d'ailleurs pas le cas — mais comme si on lui passait une bande magnétique.

— Si c'est une blague, ça y est, t'as pris ton pied, espèce de détraqué ! Alors, va te faire foutre !

Le téléphone fut raccroché avec un claquement de coup de fusil. Il alluma une cigarette de ses doigts tremblants. Bon, il avait eu ce qu'il voulait, sa voix, le dernier souvenir qu'il aurait d'elle. Plus jamais elle ne lui parlerait, et il pourrait toujours se rappeler ses paroles d'adieu, les adieux de la prima donna, les vrais : « Va te faire foutre, espèce de détraqué ! » Il remonta dans la rue et s'éloigna en titubant comme un homme ivre.

Il était à peu près 10 heures du matin lorsque Francis apparut à côté de son lit avec — attention inattendue — une tasse de thé à la main. Francis avait dormi dans la chambre et Gray dans l'un des lits qui avaient été amenés au salon, où le soleil pénétrait à présent en rayons rouges, bleus et dorés à travers les verres teints pour dessiner des formes dansantes sur le sol.

— Je te dois des excuses pour la petite scène d'hier, au pub. Charmian est une fille super, mais impulsive.

— C'est pas grave.

— Je lui ai dit deux mots, fit pompeusement Francis. Après tout, ce qui est acceptable dans la bouche d'un vieux copain comme moi passe plus difficilement dans celle de quelqu'un que tu viens de rencontrer. Mais avoue qu'elle est chouette ?

Gray eut un sourire neutre.

— Elle et toi, vous... ?

— On n'a pas de rapports sexuels, si c'est ce que tu veux dire. Charmian attache beaucoup d'importance à ce genre de choses, alors qui vivra verra. Il faudra peut-être d'ailleurs que je songe bientôt à me marier.

— Bientôt ? répéta Gray, inquiet que cela ne vienne contrecarrer ses plans. Tu comptes te marier bientôt ?

— Bon Dieu, non ! et puis pas forcément avec elle. Je veux seulement dire que le mariage devrait être la prochaine grande étape à prévoir dans ma vie.

Gray but son thé. C'était le moment, il fallait saisir l'occasion.

— Francis, je veux revenir à Londres.

— M'étonne pas, ça fait belle lurette que je te le dis.

— Je vais être bientôt payé, et quand je le serai, euh... est-ce que je ne pourrais pas rester un peu ici, le temps de trouver quelque chose ?

— Ici ? Avec moi ?

— Pas plus d'un mois ou deux.

Francis ne parut guère enchanté.

— Ce ne sera vraiment pas commode. Et puis il faudra m'aider avec le loyer : je débourse pour dix-huit livres par semaine, ici, tu sais.

Avec le chèque à venir, il en récolterait bien une cinquantaine...

— Je ferai fifty-fifty.

Peut-être par remords du sermon auquel il avait exposé Gray la veille au soir, Francis oublia le scepticisme avec lequel il accueillait d'habitude les promesses de contribution financière de son ami.

— Bon, dans ce cas..., concéda-t-il bon gré mal gré. Disons que tu resteras six semaines. Quand veux-tu venir ? Charmian et moi partons demain passer quelques jours dans le Devon chez ses parents. Samedi, ça t'irait ?

— Impeccable, répondit Gray.

Quand il eut pris un bain — dans une vraie salle de bains avec de l'eau chaude coulant directement du robinet — il sortit et se dirigea vers Tranmere Villas. Jeff était encore couché et ce fut le nouveau locataire de l'ancienne chambre de Gray — celle où il avait, juste une fois, fait l'amour avec Drusilla, qui le fit entrer dans l'appartement.

— Sally n'est pas là ? demanda-t-il lorsque Jeff apparut, l'air endormi, lugubre et complètement myope sans ses lunettes.

— Elle m'a quitté. Partie il y a juste quelques semaines.

— Mince, je suis désolé. (Il connaissait ce genre d'épreuve.) Ça faisait longtemps que vous étiez ensemble.

— Cinq ans. Elle a rencontré un autre mec et s'est tirée avec lui dans l'île de Mull.

— Vraiment, je suis navré.

Jeff fit du café et ils parlèrent de Sally, du mec, de la solitude, de l'île de Mull, d'un type avec lequel ils avaient été en classe et qui était maintenant député de la circonscription de Gray, puis d'autres gens qu'ils avaient jadis connus et qui semblaient s'être dispersés aux quatre coins du monde. Gray lui parla de son déménagement.

— Oui, je pourrais trimbaler tes affaires samedi. Il n'y a pas grand-chose, n'est-ce pas ?

— Quelques bouquins, une machine à écrire, des fringues.

— Disons en milieu d'après-midi, alors ? S'il y

avait du changement, tu pourrais toujours me passer un coup de fil. Au fait, une lettre est arrivée ici pour toi il y a un mois, au moment où Sally est partie. Ça ressemblait à une facture, et puis, avec cette histoire de séparation, j'ai plus pensé à te la faire suivre. Je sais bien que j'aurais dû, mais j'étais au trente-sixième dessous. Dieu merci, je reprends du poil de la bête, maintenant.

Gray aurait aimé pouvoir en dire autant. Il prit l'enveloppe et comprit de quoi il s'agissait avant même de l'avoir ouverte. Comment pouvait-il à ce point oublier l'essentiel alors qu'il se rappelait tout de ce passé mort et inutile? Quand elle l'avait quitté, il était allé passer Noël chez Francis et avait alors décidé de ne plus jamais remettre les pieds ni à la bicoque ni dans un rayon de moins de quinze kilomètres autour de Drusilla. Il avait donc écrit à son éditeur pour demander qu'on envoie son prochain relevé de droits à Tranmere Villas, sa seule adresse véritablement permanente. Pourquoi cela lui était-il sorti de l'esprit? Parce qu'il s'était senti tellement désespéré et déboussolé que, tel un animal blessé cherchant l'abri de sa tanière, il était reparti pour fuir à Pocket Lane les membres plus endurcis de sa tribu?

Il déchira le dessus de l'enveloppe. *Le Vin de l'étonnement* : Ventes en métropole : £ 5. 75 % ventes en France : £ 3.50. 75 % ventes en Italie :£ 6,26. Total : £ 14,76.

— Puisque vous ne faites rien, dit Charmian, vous pourriez peut-être me donner un coup de main pour préparer le repas. Ce ne sera pas un vrai déjeuner, on n'aura qu'à piquer des trucs là-dedans. (Lequel « là-dedans » désignait un amas de feuilles de laitue, de tomates, de tranches de viande et de fromage sous plastique et du pain français.) A moins que ça vous dise de nous inviter quelque part.

— Voyons, ma chérie ! intervint Francis.

Gray ne faisait pas attention à elle. Il était trop anéanti par son relevé de droits pour pouvoir réagir. En allant chez Jeff, il avait acheté une bouteille de Chablis espagnol pour la boum, si bien qu'il ne lui restait plus que deux livres sur les sept.

— Il y a bien assez ici pour tout le monde, poursuivit Francis sur un ton bienveillant. Allons bon ! voilà le téléphone qui remet ça.

Lequel téléphone n'avait cessé de sonner depuis que Gray était rentré : des gens se décommandaient, d'autres voulaient savoir s'ils pouvaient amener des amis, d'autres encore ne se souvenaient plus où Francis habitait.

— Alors comme ça, vous vous installez ici ? fit Charmian en lavant vigoureusement des tomates.

Gray eut un haussement d'épaules. Allait-il s'installer ou non ?

— Juste pour quelques semaines.

— Un jour, ma mère a invité une amie pour le week-end : elle est restée trois ans. Dites, vous avez vraiment les nerfs détraqués : j'ai remarqué que vous sursautiez à chaque sonnerie de téléphone.

Gray se coupa une tranche de fromage. Il était en train de penser à la lettre de derrière les fagots qu'il allait expédier à son éditeur au sujet de ses droits pour la Yougoslavie, lorsque Francis revint dans la cuisine, l'air soucieux et embarrassé. Il s'approcha de Gray et lui posa une main sur l'épaule.

— C'est ton beau-père : il paraît que ta mère est très malade. Tu veux aller lui parler ?

Gray se rendit au salon. La voix d'Honoré jaillit du combiné : quelques mots d'anglais chaotique puis, devant la difficulté de l'entreprise, il revint au français.

— Mon fils, j'ai essayé de te joindre chez toi, mais ton téléphone est toujours occupé. Alors je me suis souvenu que tu allais chez Francis et j'ai trouvé son numéro... pas sans mal, d'ailleurs !

— Qu'est-ce qui se passe, Honoré ?

— Maman... C'est la fin.

— Vous voulez dire qu'elle est *morte* ?

— Non, non, pas du tout, mais elle a eu une nouvelle attaque. Le Dr Villon, qui est auprès d'elle maintenant, dit qu'elle n'en a plus pour longtemps. Jusqu'à demain peut-être, il ne se prononce pas. Il voudrait la mettre à l'hôpital de Jency, mais moi je dis non, pas tant qu'il restera un souffle au vieil Honoré, pas tant qu'il aura la force de s'occuper d'elle. Tu vas venir, hein ? Aujourd'hui ?

— Bien sûr, fit Gray avec une sensation de vide au creux de l'estomac. Bien sûr que je vais venir.

— Tu as toujours l'argent avec toi ? Je t'ai envoyé de quoi prendre l'avion pour Paris, et de là, le car de Bajon. Alors file tout de suite à « Hissereau », et rendez-vous ce soir au Petit Trianon.

— D'accord. Je rentre juste chez moi prendre mon passeport et j'arrive.

Il retourna dans la cuisine. Francis et Charmian étaient attablés, silencieux, le visage grave, comme il sied dans ce genre de situation.

— Navrée pour votre maman, fit Charmian sur un ton bourru.

— Oui, moi aussi, poursuivit Francis. S'il y a quoi que ce soit qu'on puisse faire...

Il y avait bien quelque chose, mais Gray préféra attendre quelques minutes avant d'en parler, sachant fort bien que ceux qui font ce genre de proposition en période de deuil — ou de malheur imminent —

n'offraient généralement guère plus que leur compassion et un coup à boire.

— Je ne pourrai pas rester pour la boum. Il vaudrait mieux que je parte maintenant, si je dois passer à la bicoque avant d'aller à l'aéroport.

— Laisse-moi te donner un coup à boire.

Le whisky, dans son estomac plus ou moins vide, donna du courage à Gray.

— Si, il y a une chose que tu pourrais faire.

Francis ne demanda même pas de quoi il s'agissait. Il poussa un petit soupir.

— Je suppose que tu n'as pas l'argent pour ton voyage !

— Tout ce qui me reste avant la soupe populaire, c'est deux livres.

— Mon Dieu, murmura Charmian, mais sans malveillance.

— Combien il te faudrait ?

— Ecoute, Francis : j'ai un chèque qui doit arriver d'un jour à l'autre, ce ne serait donc que pour peu de temps. Je sais que je vais avoir de l'argent parce que j'ai vendu des droits en Yougoslavie.

— On ne peut pas sortir d'argent des pays communistes, rétorqua aussitôt Charmian. Impossible, pour les écrivains, de toucher leurs droits. D'après un ami de ma mère — un type très connu, *lui* —, les éditeurs ont tellement de taxes, de trucs et de machins à payer qu'ils préfèrent laisser le fric en banque, derrière le rideau de fer.

Ce fut pour Gray comme une douche glacée. Elle disait sûrement vrai : il se rappelait à présent que Peter Marshall avait fait une remarque analogue, lors d'un de leurs petits gueuletons. Mais il avait ajouté : « Si vous vendez en Yougoslavie, admettons, nous laisserons l'argent sur notre compte de Belgrade. Peut-être y passerez-vous un jour vos vacances et aurez-vous l'occasion de le dépenser. » Dommage qu'Honoré ne soit pas yougoslave...

— Mince, je suis pas dans la merde, tiens.

— Combien il te faudrait ? répéta Francis.

— A peu près trente-cinq livres.

— Gray, je ne voudrais pas que tu me croies indifférent, mais où vais-je trouver trente-cinq livres ? J'en ai que cinq en liquide dans l'appart. Et toi, ma chérie, tu as quelque chose sur toi ?

— A peu près deux et demie, répondit Charmian qui, estimant passé le moment des condoléances émues, s'était remise à manger son jambon et sa laitue.

— Eh bien, il ne me reste plus qu'à descendre chez le marchand de tabac pour voir s'il peut me changer un chèque, dit Francis.

Gray appela l'aéroport : il y avait un vol à 8 heures et demie. Il se sentait comme foudroyé. Que se passerait-il à son retour de France ? Quand le chèque arriverait, il aurait environ seize livres mais il en devrait trente-cinq à Francis, plus neuf par semaine pour partager cette vacherie de serre. Malgré la présence de Charmian, il plaça sa tête contre ses mains et ferma les yeux...

Sa situation serait bien différente, commença-t-il inévitablement à songer, s'il avait accepté de faire ce que Drusilla lui avait demandé un an auparavant. Il serait quand même sur le départ pour Bajon, bien sûr, mais la comparaison s'arrêtait là : il n'aurait pas eu à quémander, à devenir un objet de mépris pour cette fille et pour Francis, à toujours se ronger les sangs pour avoir deux sous...

Le contact d'une main sur son épaule le fit sursauter et le tira de sa mélancolie.

— Allons, secoue-toi, dit Francis : j'ai eu tes trente-cinq livres.

— Merci. Je te suis très reconnaissant, Francis.

— Je ne veux pas te mettre le couteau sous la gorge en un moment comme celui-ci, mais ça ne me laisse plus grand-chose devant moi, surtout avec ce voyage dans le Devon, le loyer à payer, et tout le reste. Alors si tu pouvais...

Gray répondit par un hochement de tête. Jurer ses grands dieux qu'il rembourserait rapidement lui parut vain : il n'arriverait pas à se montrer convaincant et, même s'il y parvenait, Francis ne le croirait pas.

— Amusez-vous bien, à la boum.

— On boira à ta santé, dit Francis. A nos amis absents.

Charmian leva la tête et força un vague sourire d'adieu. L'expression de Francis, pour indulgente qu'elle fût, montrait une certaine impatience, aussi. Ils seraient tous deux bien contents de se débarrasser de lui. La porte en verre rouge en claqua de soulagement lorsqu'il sortit dans l'allée.

S'il avait fait ce qu'elle avait demandé, songea-t-il, il serait dans un taxi, en ce moment, entre son luxueux appartement et sa place de première, dans l'avion. Ses bagages en peau de porc installés là, à côté du chauffeur, il aurait les poches bourrées de fric, comme Microbe qui, avait-elle dit une fois, se promenait toujours avec de grosses sommes sur lui pour pouvoir se payer cash ses fantaisies. Et à Bajon, on lui préparerait la plus belle chambre de l'*Ecu d'Or*, avec bain privé. Et surtout, il serait dégagé de tout souci.

L'impression le gagna, tandis qu'il attendait son train, que tous ses ennuis venaient de là, de son refus de faire ce qu'elle voulait : l'aider à tuer son mari.

9

Bien que préoccupé par ses soucis d'argent tout au long du trajet, ce ne fut guère avant son retour à la bicoque qu'il se souvint quc sa mère, dans son testament, lui léguait la moitié de ses biens. Allons ! il ne fallait pas se mettre à penser à ça, c'était trop abject. Il en repoussa donc l'idée, avec son cortège de désirs et de scrupules, rassembla quelques frusques, rangea son relevé de droits dans le coffret et sortit son passeport. Il rabattit juste le couvercle — à quoi bon verrouiller — en laissant la clef dans la serrure. N'avait-il donc rien d'autre à faire, avant de partir en France, que de raccrocher son téléphone ? Il remit le combiné à sa place avec l'impression d'oublier quelque chose, mais quoi ? Pas décommander Jeff, puisqu'il serait rentré le samedi suivant et que Francis l'accueillerait à bras ouverts quand il saurait qu'il avait hérité la moitié de l'argent de sa mère. Non, il s'agissait d'une promesse ; il avait donné sa parole d'aller quelque part... Il se rappela soudain : la soirée de miss Platt. En repassant devant chez elle, tout à l'heure, il lui dirait qu'il avait un empêchement.

Vue du portail, la bicoque paraissait ne pas avoir été habitée depuis des années. Ses bardeaux, détrempés par des saisons de pluie, écaillés et blanchis par le soleil, avaient pris l'apparence de coquilles d'huître. Engoncée dans son nid de fougères, ce n'était qu'une cabane pourrie derrière les fenêtres de laquelle pendaient des haillons de rideaux en coton défraîchi. Des bouleaux argentés, des hêtres au tronc gris acier empiétaient dessus pour en masquer la décrépitude. Avec son air délaissé, abandonné, on eût dit un tas d'ordures jeté par des promeneurs en plein milieu de la forêt. Mais elle valait quinze mille livres, c'est ce que miss Platt avait dit. Si Mal avait l'intention de la vendre, il s'en débarrasserait dans la journée pour cette somme énorme, incroyable.

L'heureuse ex-propriétaire était en train de couper des roses précoces dans son jardin de devant.

— N'a-t-on pas des journées splendides, en ce moment, Mr Lanceton ? Ça me rend d'autant plus triste de partir.

— J'ai bien peur de ne pas pouvoir venir à votre soirée d'adieu, répondit Gray. Je dois aller en France : maman, qui y habite, est tombée gravement malade.

— Oh, mon Dieu ! je suis vraiment navrée. Y a-t-il quoi que ce soit que je puisse faire ? (miss Platt posa son sécateur.) Voulez-vous que je jette un œil sur le *Cottage blanc* ?

Sans les lettres à Microbe, Gray aurait pu oublier qu'il s'agissait là du vrai nom de la bicoque.

— Pas la peine, merci : il n'y a rien d'intéressant à me faucher, là-bas.

— Comme vous voudrez, mais ça ne me dérangerait pas du tout, et je suis certaine que Mr Tringham prendrait le relais, de temps en temps. J'espère que vous trouverez votre maman en meilleure santé : une mère, c'est irremplaçable, surtout pour un homme, n'est-ce pas ?

Tandis qu'il redescendait le chemin, en passant

devant la pelouse ravagée des Willis, puis devant la nouvelle propriété avant de rejoindre High Beech Street, il réfléchit à ces paroles de miss Platt. Une mère, c'est irremplaçable... Depuis l'appel d'Honoré, il avait surtout pensé fric, à l'argent de Drusilla, à celui de sa mère, mais pas vraiment à sa mère elle-même. Eprouvait-il de l'affection pour elle? Lui importait-il qu'elle vive ou qu'elle meure? Il y avait deux mères dans son esprit, deux femmes séparées et bien distinctes: celle qui avait rejeté son fils, son pays et ses amis pour un horrible petit serveur français, et celle qui, depuis la mort de son premier mari, avait tenu un intérieur pour son fils, lui avait donné son amour, avait accueilli ses amis. C'est vers cette femme-là, perdue pour lui, morte depuis quatorze ans, que Gray essayait de tourner ses pensées à présent. Elle avait été une amie, une compagne plus qu'une mère, et il l'avait pleurée avec l'amer désespoir d'un adolescent de quinze ans incapable de comprendre — il comprenait maintenant, ô combien! — le pouvoir obsessionnel de l'amour-passion. Mais une telle compréhension ne permet que le pardon glacé de l'esprit, pas celui du cœur.

Il l'avait donc pleurée, à l'époque. Mais comme ces deux femmes ne formaient malgré tout qu'une seule et même personne, il ne pouvait éprouver de chagrin, maintenant, pour cette créature brisée qui entrait enfin dans la mort, qui n'était plus à lui, mais à Honoré et à la France.

Pour Microbe, prendre l'avion pour Paris ne représentait guère plus que de conduire sur la grand-route de Loughton. Il était allé en Amérique, à Hong-Kong, en Australie, parti déjeuner à Copenhague et revenu dîner à la maison. Une fois, se souvint Gray, il était resté tout un week-end à Paris...

— Comme ça, tu pourras venir le passer à la bicoque avec moi, Dru, avait-il dit.

— Oui, et ça nous donnera l'occasion de prendre de l'acide.

— Je croyais que t'avais oublié.

— Tu me connais bien mal. Je n'oublie jamais rien. Alors, tu vas nous en avoir ? Tu as dit que tu pouvais : j'espère que c'était pas de la frime.

— Je connais un gus qui peut m'en refiler, c'est vrai.

— Mais tu vas la ramener avec ta morale et tes grands principes, hein ? Tu m'écœures ! Où est le mal, d'abord ? Il n'y a pas d'accoutumance possible, au contraire. J'en connais un rayon, là-dessus.

A coups de lecture d'articles du genre *L'herbe*, ou *Le club des haschichiens*, ou encore *Une nouvelle perception* dans les magazines pop, songea-t-il.

— Ecoute, Dru, je crois seulement que c'est mauvais d'utiliser une drogue comme le L.S.D. pour s'amuser, pour chercher des sensations. C'est différent quand on l'emploie en psychothérapie sous surveillance médicale.

— Tu as déjà essayé ?

— Oui, une fois, il y a quatre ans environ.

— Merveilleux ! Alors tu es comme ces petits saints de mes fesses qui se paient des orgies toutes les nuits jusqu'à quarante ans, et qui, passé cet âge, s'excitent contre tout le monde en braillant que le sexe est un péché, tout ça parce qu'ils peuvent plus y arriver eux-mêmes ! Chapeau !

— Ça n'a pas été une expérience agréable. Il y en a peut-être avec qui ça marche, c'est pas mon cas.

— Et pourquoi je n'essaierais pas, moi ? Pourquoi toi et pas moi ? Je n'ai jamais rien pu faire et tu m'empêches toujours d'avoir des expériences. Eh bien, si tu ne dégotes pas d'acide, je ne mettrai pas les pieds ici. J'irai à Paris avec Microbe et je te jure que je ne m'ennuierai pas, pendant qu'il sera à sa connerie de séminaire : je ramasserai le premier mec qui me fera du gringue. (Elle se pencha vers lui, se fit câline.) Gray, on pourrait le prendre ensemble. Il paraît que c'est fabuleux, quand on fait l'amour. Ça ne te plairait pas, de me voir encore plus merveilleuse que je suis ?

Et bien sûr, il s'était procuré l'acide : il aurait fait presque n'importe quoi pour elle — sauf une chose. Seulement il n'en prendrait pas, lui. C'était dangereux. Un pour consommer, l'autre pour surveiller, diriger la manœuvre, au besoin mettre le holà. Car, si le seul effet, chez une personne stable, peut n'être qu'une vision déformée (ou réelle ?) des choses et une hypersensibilisation de certains sens, l'instable peut devenir violent, fou, hystérique. Et Drusilla, pour autant qu'il l'aimât, n'était pas une personnalité stable.

C'était début mai, juste un peu plus d'un an auparavant. Une bise aigrelette et pénétrante soufflait. Le samedi matin, ils étaient allés dans sa chambre, et il lui avait donné l'acide pendant que le vent hurlait autour de la bicoque et que Microbe, quelque part au-dessus d'eux, s'envolait pour la France. Le gros Microbe qui, avec son costume à quatre-vingts guinées, confortablement installé dans son siège de première, plongé dans la lecture de son *Financial Times* en sirotant le double scotch servi par l'hôtesse, n'avait pas idée, mais alors pas du tout, de ce qui se passait à quelques milliers de mètres au-dessous de lui. Serein et innocent Microbe, qui n'aurait jamais soupçonné un seul instant...

Bien de ces hommes, même à présent,
Qui tiennent femme, amoureusement,
Bras dessus bras dessous, langoureusement,

Quand ils s'en vont, sereinement,
Leur bon voisin, Maître Charmant,
S'en vient pêcher dans leur étang...

Gay sentit un frisson le parcourir. Décrit de cette manière, c'était horrible, car il avait été le voisin de Microbe, au sens géographique et éthique du terme. Il l'avait d'ailleurs fait remarquer, dans la première de ces fameuses lettres. Il avait été le Maître Charmant, le bon voisin, qui avait pêché dans son étang en son absence — grossières et froides images, que celles du XVIIe siècle — et ne s'était soucié de sa personne que lorsqu'il avait fallu dresser une barrière infranchissable.

Mais c'était du passé, maintenant, et Microbe et lui, la victime et le bourreau — victime épargnée par son bourreau — avaient peut-être tous deux été doublés en leur absence par un voisin, ce joueur de tennis charmant...

Gray bloqua le flot de ses souvenirs. En dessous de lui, il pouvait voir les lumières de Paris. Il s'attacha sa ceinture, éteignit sa cigarette et se prépara aux épreuves qui l'attendaient.

L'avion avait du retard et le seul car disponible ne put l'emmener que jusqu'à Jency, à une quinzaine de kilomètres de Bajon. Il fit en stop le restant du chemin. Les seules lumières encore allumées à Bajon étaient celles de l'*Ecu d'Or*, repaire d'Honoré, du maire et de M. Reville, le maître verrier. Honoré, cependant, n'y serait sans doute pas maintenant. Gray craqua une allumette pour regarder sa montre et vit qu'il était près de minuit : il trouva étrange de songer que, vingt-quatre heures auparavant, il était dans la station de métro de Marble Arch en train de téléphoner à Drusilla.

Il passa devant le groupe de châtaigniers, puis

devant la maison dénommée *Les Marrons* et descendit la ruelle transversale qui, après les pavillons, viendrait se perdre aussi misérablement que Pocket Lane dans les champs, les bois et le domaine d'une ferme. Le pavillon d'Honoré était le quatrième. Une des pièces de façade était allumée, de sorte qu'on pouvait distinguer, sur le devant, les plaques de béton vert qui condamnaient à l'étouffement toute plante qui aurait eu quelque velléité de pousser, l'étang artificiel recouvert de plastique avec, tout autour, la troupe bigarrée des statuettes de nains, grenouilles en train de pêcher, chérubins nus, lions au regard jaune, et autres canards dodus, qui faisaient la fierté d'Honoré... Heureusement, la lumière était trop faible pour laisser voir l'alternance de briques roses et vertes dont le pavillon était construit.

Ce n'était pas la première fois que Gray relevait cette contradiction de la nation française: elle qui, plus peut-être que toute autre, avait contribué à l'art mondial en musique, en littérature, en peinture, ce parangon de raffinement, possédait en même temps la bourgeoisie la plus fruste de toute la terre. Après s'être étonné que la France, qui avait compté des Gabriel et des Le Nôtre, ait pu ainsi produire un Honoré Duval, il s'avança vers la porte et sonna.

Honoré courut lui ouvrir.

— Ah! mon fils, te voilà enfin! s'écria-t-il en l'embrassant sur les deux joues. (Il sentait toujours autant l'ail.) Tu as fait bon voyage? Ne t'inquiète pas, elle est toujours là, elle est vivante. Elle dort. Tu viens la voir?

— Dans une minute, Honoré. Est-ce que vous avez quelque chose à manger?

— Je vais te préparer un petit en-cas, répondit-il avec enthousiasme. (Cette chaleur s'estomperait vite,

Gray le savait, pour laisser place à une attitude de défiance roublarde.) Une omelette.

— Je voudrais juste un morceau de pain et de fromage.

— Comment ! Après être resté trois ou quatre ans sans te voir ? Tu me prends pour un père indigne ? Viens dans la cuisine, que je m'occupe de toi.

Gray regretta d'avoir parlé de nourriture. Bien que Français et ancien serveur, qui avait évolué pendant les deux tiers de sa vie dans l'ambiance et les traditions de la haute gastronomie, Honoré était un abominable gâte-sauce. Pourtant conscient du fait que l'excellence de la cuisine française dépend en grande partie d'une subtile utilisation des herbes, il abusait du romarin et du basilic d'une manière incroyable. Il savait aussi que la crème fraîche jouait un rôle important dans la plupart des plats, mais il était trop pingre pour en utiliser le moindre soupçon. C'eût été moins insupportable s'il s'en était tenu aux œufs sur le plat, aux frites et aux simples ragoûts, seulement il méprisait cela : il s'attaquait aux recettes de la grande tradition, c'était ça ou rien, ces merveilles de délicatesses que le monde entier vénère et copie, mais sans crème, sans vin et avec des herbes en sachet jetées à pleines cuillerées.

— Coupe la lampe, veux-tu, fit Honoré, tandis que Gray le suivait avec lassitude dans la cuisine.

C'était sa façon de lui demander d'éteindre la lumière, ce qu'il fallait faire avant de quitter chaque pièce par mesure d'économie. Gray coupa donc et s'assit sur une des chaises bleu vif, munies d'un coussin en plastique coquelicot et bleu. Il régnait un calme total, presque comme à la bicoque.

Un faux géranium rose trônait au milieu de la table dans un pot en plastique blanc. Le rebord de la fenêtre était hérissé de fleurs synthétiques, la pendule murale en verre orangé avec des aiguilles chromées, et des assiettes décorées de châteaux en relief et d'éclatantes vues en technicolor l'entouraient. Toutes les teintes d'un plumage d'oiseau exotique étaient représentées dans cette cuisine, immaculée jusqu'au moindre centimètre carré et baignée de la lumière suave d'un éclairage rose fluorescent.

Honoré, qui s'était noué un tablier autour de la taille, commença à battre les œufs et à y jeter des pincées de persil et de ciboulette séchés jusqu'à ce que la mixture prenne une teinte verdâtre. Faire la cuisine demandait de la concentration et un silence religieux, aussi ne soufflèrent-ils mot ni l'un ni l'autre pendant quelques instants. Gray regardait son beau-père d'un air pensif.

C'était un homme maigre et sec, d'une taille plutôt en dessous de la moyenne, au teint mat et dont les cheveux bruns commençaient à grisonner. Ses lèvres minces, même au repos, s'incurvaient en un sourire permanent, mais ses petits yeux noirs ne se départaient jamais de leur rouerie. Il avait le physique de ce qu'il était : un paysan français ou, plus encore, la caricature d'un paysan français vu par un Anglais.

Ce que sa mère avait pu lui trouver était toujours demeuré un mystère pour Gray, mais maintenant, après quatre ans de séparation, il commençait à comprendre. Peut-être parce qu'il avait pris de l'âge, ou parce que ce n'était que dans ces années-là qu'il avait réellement découvert le pouvoir du sexe. Pour une femme comme sa mère, protégée, raffinée même, ce diable de petit homme brun, avec ses yeux vifs et son sourire madré, pouvait avoir représenté ce que Drusilla avait représenté pour lui, Gray : l'incarnation de l'érotisme. Il lui rappelait toujours l'un de ces marchands d'oignons itinérants auquel sa mère achetait régulièrement lorsqu'il s'arrêtait chez eux à

Wimbledon. Se pouvait-il qu'Enid Lanceton, pourtant apparemment équilibrée et cultivée, eût été subjuguée par ces petits bonshommes aux chapelets d'oignons attachés à la bicyclette, au point de n'avoir eu de cesse que de s'en trouver un pour elle ? Eh bien, elle y était parvenue, songea Gray en regardant Honoré, ses fleurs en plastique et ses rideaux à motifs jaunes de pots et de casseroles, et elle avait payé sa trouvaille au prix fort.

— Voilà ! s'écria Honoré en faisant glisser l'omelette sur une assiette à carreaux rouges et verts. Dépêche-toi vite de la manger avant qu'elle refroidisse.

Gray se dépêcha vite. Ladite omelette avait plutôt l'aspect d'une feuille de chou trempée dans une légère pâte à frire, et le goût d'une plâtrée d'humus. Il l'engloutit donc aussi rapidement qu'il put afin d'éviter ces intervalles entre les bouchées qui permettent aux aliments de dégager toute leur saveur. Il y avait un très léger bruit, dans le pavillon, qui lui rappelait le ronronnement régulier, croissant et décroissant, d'une machine. Il n'arrivait pas à en déterminer l'origine, mais c'était le seul bruit ambiant, à part les tintements de vaisselle qu'Honoré faisait dans l'évier.

— Et maintenant, un bon café français.

Un bon café était la dernière chose qu'on pouvait obtenir au *Petit Trianon*. Honoré dédaignait le café soluble que tout le monde employait à présent mais, par avarice, il rechignait à en préparer de frais en toute occasion. Une fois par semaine, il faisait donc bouillir une casserole d'eau avec un mélange de café et de chicorée et ce breuvage, saumâtre et amer, était réchauffé et servi jusqu'à la dernière goutte. L'estomac de Gray, pourtant habitué à digérer en toute impunité les boîtes de boulettes de viande, de ravioli et de paupiettes de bœuf, se retournait devant le jus de chaussette d'Honoré.

— Non merci, ça m'empêcherait de dormir. Je vais aller voir maman, maintenant.

La chambre d'Enid — leur chambre — était la seule pièce qu'elle avait réussi à préserver du goût de son mari. Les murs étaient blancs, les meubles en noyer massif, les carpettes et couverture bleu outremer. Sur le mur, au-dessus de la tête de lit, pendait une icône en bois peint et doré de la Vierge à l'Enfant.

La mourante reposait sur le dos, les mains sur la courtepointe. Elle ronflait de sa respiration stertoreuse, et Gray comprit alors d'où venait le son plaintif et régulier qu'il avait entendu. Cette machine, c'était celle du souffle d'Enid Duval. Il s'approcha du lit et baissa son regard sur le visage blême et décharné. Il avait vu deux femmes en elle, mais il en voyait trois, à présent : sa mère, la femme d'Honoré, et cette troisième et ultime image qui absorbait les deux premières.

— Embrasse-la, mon fils, dit Honoré. Embrasse-la.

Gray ne lui prêta pas attention. Il prit une des mains de sa mère et la maintint dans la sienne. Elle était très froide. Elle ne bougea pas, son rythme respiratoire ne fut pas modifié.

— Enid, fit Honoré, c'est Grahamme. Voilà enfin ton fils.

— Pas de grandes phrases, dit Gray, ça ne sert à rien.

Son anglais continuant à le déserter, Honoré se lança dans une tirade en langue française. Gray n'en put saisir que le sens général, selon lequel les Anglo-Saxons étaient des sans-cœur.

— Je vais me coucher. Bonne nuit.

Honoré eut un haussement d'épaules.

— Bonne nuit, mon fils. Tu sauras bien retrouver ta chambre, hein ? Je passe mes journées à monter et à descendre, ça n'en finit jamais, mais j'ai pris le temps de rhabiller ton lit.

Habitué au langage parfois un peu particulier d'Honoré, Gray comprit qu'il avait mis des draps propres. Il rejoignit donc « sa » chambre, qu'Honoré avait meublée comme il sied au fils de la maison, à dominante bleue — garçon oblige : carpette bleue à motif de roses magenta, rideaux bleus parsemés de jonquilles jaunes. Le seul tableau — qui remplaçait une *pietà* que Gray avait un jour dit détester à son beau-père — montrait Mme Roland en robe bleue, debout sur les marches d'une guillotine rouge et argent, en train de s'écrier, selon la citation qui figurait en dessous : *O Liberté, que de crimes on commet en ton nom !*

C'était vrai. Bien des crimes étaient commis au nom de la liberté. Le mariage de sa mère, par exemple. Toujours au nom de la liberté, Drusilla avait envisagé un crime bien plus affreux encore. Gray crut que ses pensées allaient le tenir éveillé mais — c'était l'avantage du *Petit Trianon* — le lit était le plus confortable dans lequel il ait jamais dormi, bien meilleur que celui de la bicoque, que celui de Francis ou celui de l'*Oranmore*, à côté de la fenêtre. Il s'endormit presque instantanément.

10

Il fut réveillé à 7 heures par un tel tintamarre qu'il crut que sa mère était morte pendant la nuit et qu'Honoré avait ameuté tout le village pour défiler devant le cercueil. Car on ne pouvait décemment faire autant de barouf en préparant un petit déjeuner pour trois. Puis, derrière cette cacophonie, il entendit qu'elle ronflait paisiblement. Il comprit alors qu'Honoré, qui ne paraissait jamais fatigué, utilisait cette méthode pour sonner le réveil. Il se tourna dans son lit et, bien qu'incapable de se rendormir, mit un point d'honneur à rester couché jusqu'à ce que, à 8 heures, la porte s'ouvrît à la volée et qu'un aspirateur fît irruption dans la chambre.

— « Tôt couché, tôt levé, trouveras richesse, sagesse et santé ! » énonça joyeusement Honoré. Tu vois, je connais les proverbes anglais.

Gray remarqua qu'il avait cité « richesse » en premier. Très révélateur.

— Je ne me suis pas couché tôt. Je peux prendre un bain ?

Au *Petit Trianon*, il ne fallait pas compter avoir de l'eau chaude. Il y avait bien une salle de bains, avec des carreaux ornés de petits poissons et une moelleuse garniture couleur pêche sur l'abattant des toilettes, il y avait aussi un chauffe-eau électrique, mais Honoré le laissait éteint et faisait la vaisselle avec l'eau chaude des bouilloires. Pour prendre un bain, il fallait réserver des heures, voire des jours à l'avance.

— Plus tard, répondit-il avant de s'emporter dans un français fort relâché contre les factures d'électricité et la sottise de prendre trop de bains, et d'ajouter — un comble, pensa Gray — qu'il n'avait pas le temps d'allumer le chauffe-eau pour l'instant.

— Pardon, euh, je n'ai pas bien compris.

— Ah ! tu vois, s'écria son beau-père qui pointa un doigt vers lui tout en continuant à passer énergiquement l'aspirateur dans la chambre, je ne crois pas que tu comprennes le français aussi bien que tu dis. Ben maintenant que t'es là, va falloir t'y mettre. Allons, le petit déjeuner est prêt. Amène-toi.

Gray se leva et fit sa toilette avec l'eau chaude d'une casserole. Le savon de Marseille grisâtre que lui donna Honoré piqua tant sa main brûlée qu'il faillit lâcher un cri. Il y avait du café dans une autre casserole et une demi-baguette sur la table. Les Français ont coutume d'acheter leur pain frais chaque matin, mais Honoré, jamais : il ne pouvait supporter de jeter le moindre quignon, et les baguettes rassises restaient là jusqu'à ce qu'elles fussent entièrement consommées, même si elles finissaient par avoir l'air et le goût de luffas pétrifiés.

Après la visite du Dr Villon qui avait déclaré stationnaire l'état de la malade, Gray descendit au village pour aller chez le boulanger. Bajon n'avait guère changé, depuis son dernier passage. L'*Ecu d'Or* avait toujours besoin d'un coup de peinture, les bâtiments brun-gris de la ferme ressemblaient toujours à de vieux pachydermes assoupis. Sur la place, quatre boutiques — un marchand de vins, une boulangerie, une boucherie et l'alimentation générale tenant office de poste — étaient toujours tenues par les mêmes personnes. Il marcha jusqu'au bout de la rue pour voir si la réclame de soutiens-gorge existait encore. Oui. C'était un immense panneau d'affichage. Sous deux montagnes arrondies enserrées dans des bonnets de dentelle, on pouvait lire: *Désirée: votre soutien-gorge.*

Il rebroussa chemin, dépassa l'embranchement de chez Honoré, puis deux nouvelles boutiques, puis un salon de coiffure au nom ambitieux de *Jeanne Moreau, Coiffeur pour dames*, et arriva au panneau de signalisation *Nids de poule*. Lorsqu'il était venu à Bajon pour la première fois, il avait cru que cela avertissait de la présence sur la route de vrais nids de vraies poules, et non de fondrières, mais Honoré l'avait détrompé, avec un grand éclat de rire moqueur.

La journée passa lentement sous cette chaleur somnolente. Gray retrouva quelques-uns des livres que sa mère avait apportés avec elle de Wimbledon, et il s'assit dans le jardin de derrière pour lire *La Nymphe fidèle*. Le jardin en question était une pelouse de dix mètres sur huit sur laquelle Honoré avait érigé trois objets étranges, des trépieds verts surmontés chacun d'un visage en plâtre, avec trois chaînes qui, fixées aux montants, supportaient une sorte d'urne ou de seau rempli de soucis. Gray n'arrivait pas à se faire à ces instruments compliqués et hideux, installés avec tant de peine et de soin pour de si petites grappes de fleurs. Mais par ce chaud soleil, l'endroit était agréable pour passer le temps.

Vers 8 heures, Honoré déclara qu'un pauvre vieil homme qui s'escrimait du matin au soir comme cuisinier, infirmier et maître de maison méritait bien une petite récréation en fin de journée. Gray, il en était sûr, saurait veiller sur Enid le temps qu'il aille prendre un verre de fine à l'*Ecu*. Plusieurs voisins étaient venus pendant la journée lui proposer leurs services de garde-malade, mais Honoré avait refusé en expliquant que Gray aimerait rester auprès de sa maman.

Le ronflement régulier d'Enid se poursuivit tout le temps qu'il fut assis à côté d'elle. Il termina *La Nymphe fidèle* et s'attaqua au *Lagon bleu*. Honoré rentra à 11 heures, avec de fortes émanations de cognac et un message du maire, impatient de rencontrer l'auteur du *Vin de l'étonnement*.

Le matin, la massive et lugubre silhouette noire du Père Normand fit son apparition, et Honoré le reçut comme s'il s'agissait — au moins — d'un archevêque. Il resta longtemps enfermé avec la mère de Gray et ne quitta la chambre qu'à l'arrivée du Dr Villon. Ni le prêtre ni le médecin n'adressèrent la parole à Gray. Ils ne parlaient pas anglais et Honoré leur avait affirmé que Gray ne comprenait presque pas le français. La mixture vieille d'une semaine qu'il nommait café fut servie, et les deux respectables personnages la burent avec un plaisir apparent. Ils firent force compliments à Honoré pour la façon dont il se dévouait à sa femme, l'assurant — le Père Normand — qu'il trouverait sa juste récompense au Ciel, et — le Dr Villon — qu'il la trouverait sur terre sous la forme du *Petit Trianon* et des économies d'Enid. Gray n'était pas censé saisir un traître mot de tout cela, ils discutèrent librement devant lui de la mort imminente de sa mère et de la bonne fortune d'Honoré d'avoir réalisé un mariage qui, s'il n'était pas d'argent, n'en était pas dépourvu.

Gray ne le croyait pas incapable d'aider Enid à aller vers sa fin si elle végétait encore longtemps. Il ne montra aucune affliction, juste un peu de gêne à l'évocation de l'argent. Le prêtre et le médecin le félicitèrent pour son courage stoïque, mais Gray ne pensait pas qu'il s'agissait de courage : un éclair de dégoût passait dans les yeux d'Honoré quand il nourrissait Enid ou lui épongeait le front et croyait que Gray ne regardait pas.

Combien de maris et de femmes seraient capables de meurtre, en certaines circonstances ? Bon nombre, à n'en pas douter. Gray n'avait guère pensé à Drusilla, depuis qu'il était arrivé en France. Rien, ici, ne l'évoquait. Et comme il n'y était pas revenu depuis leur liaison, il ne pouvait même pas associer Bajon à un souvenir d'elle, qui n'était d'ailleurs jamais passée dans la région : avec Microbe, les vacances ne se concevaient qu'à Saint-Tropez ou Saint-Moritz, ces saints patrons du tourisme, ou dans des pays plus lointains ou plus exotiques. Mais il pensait à elle, à présent. Lorsqu'il abordait le sujet des épouses meurtrières, il ne pouvait pas ne pas penser à Drusilla.

Quand en avait-elle parlé pour la première fois ? En mars ? En avril ? Non, car elle n'avait pas pris d'acide avant mai...

Cela avait mis environ une demi-heure à faire effet. Alors elle commença à lui raconter ce qu'elle voyait. La vieille chambre à poutres apparentes s'agrandissait au point de prendre les dimensions d'une demeure seigneuriale, et les nuages, au-dehors, devenaient pourpres et s'enflaient comme elle n'avait jamais vu nuages le faire. Elle s'était levée pour les regarder de plus près, désemparée que la fenêtre fût à deux mètres et non à vingt.

Elle portait une bague d'améthyste dont la pierre était un éclat de cristal de roche brut, et elle le lui décrivit comme une montagne pleine de grottes où elle voyait des petits personnages entrer et sortir. Il refusa de faire l'amour — il aurait trouvé cela déplacé et artificiel — mais elle ne parut pas s'en offusquer. Ils descendirent donc au rez-de-chaussée et il prépara le déjeuner. La vue des aliments l'effraya : elle prit les légumes du potage pour des sortes de monstres marins qui se débattaient dans une piscine. Après quoi elle resta assise sans mot dire pendant un long moment.

— J'aime pas, articula-t-elle enfin, ça me déforme l'esprit.

— Bien sûr, qu'est-ce que tu croyais ?

— Je ne me sens pas sensuelle. Comme si j'avais plus de sexe. Tu te rends compte, si ça ne revenait pas ?

— Mais si, ça reviendra. Les effets vont bientôt se dissiper, et après, tu dormiras.

— Qu'est-ce qui se passerait si je prenais la bagnole, maintenant ?

— Tu te planterais, bon dieu ! Tes notions des distances sont complètement faussées.

— Je veux essayer. Juste dans le chemin.

Il dut la retenir de force. Il savait qu'une réaction de ce genre pouvait se produire, mais il ne l'aurait pas crue aussi vigoureuse. Elle se débattit, le frappa, lui décocha des coups de pied dans les jambes. Il finit néanmoins par lui prendre les clefs de la voiture et, lorsqu'elle se fut calmée, ils partirent faire une promenade.

Ils marchèrent dans la forêt et croisèrent des gens sur des poneys. Drusilla vit en eux une troupe de cavaliers aux visages farouches et tristes. Il s'assit avec elle sous un arbre, mais les oiseaux l'effrayèrent : elle prétendait qu'ils essayaient de la déchiqueter avec leur bec. Au début de la soirée, elle s'endormit et se réveilla une fois : elle avait rêvé que des oiseaux attaquaient l'avion de son mari pour y faire des trous jusqu'à ce que Microbe tombe. Elle était elle-même un de ces oiseaux, sorte de harpie avec des plumes et une queue, mais des seins et un visage de femme et de longs cheveux flottant au vent.

— J'arrive pas à comprendre qu'il y en ait qui prennent ça pour *s'amuser*, dit-elle au moment de repartir chez elle, le lendemain soir. Pourquoi diable m'as-tu refilé de ce truc ?

— Tu n'as pas arrêté de me tarabuster. Je regrette.

Il le regretta souvent, d'ailleurs, car il n'avait pas fini d'être tarabusté. Ça ne faisait que commencer, au contraire. Mais quelle importance, à présent, quelle importance...

— *Stand yourself, my son. Your are dreamingue ?*

Honoré lui avait parlé sur un ton jovial, mais quelque peu réprobateur, malgré tout. Pour lui, les jeunes — surtout ceux qui n'avaient pas les moyens de subsistance — devaient se lever lorsque des gens plus âgés entraient et sortaient. Or, le Dr Villon et le Père Normand prenaient congé, éblouis par les compétences linguistiques d'Honoré. Gray dit poliment au revoir mais resta où il était. Il entendit, dans le hall, son beau-père détourner les compliments en expliquant que quand on avait tenu pendant des années un poste à responsabilité dans la grande hôtellerie internationale, on était bien obligé d'avoir plusieurs langues à son arc.

Après le repas du soir — boîte de bisque de homard, boîte de crevettes avec morceaux de poisson blanc qu'Honoré baptisait *bouillabaisse* —, il sortit faire une promenade sur la route jusqu'à la ferme des Fonds. Mouches et moucherons y étaient presque aussi nombreux qu'à Pocket Lane. Tout ici lui rappelait Pocket Lane, d'ailleurs, à part les hurlements du chien enchaîné du fermier. Gray savait qu'en France, les gens de la campagne aimaient garder leurs chiens attachés. Sans doute les bêtes s'y habituaient-elles, sans doute celui-ci serait-il détaché pour la nuit. Mais pour quelque obscure raison, voir et entendre cet animal le troubla profondément. Il ne comprit pas pourquoi ce maigre chien de berger qui tirait sur sa chaîne et émettait sans arrêt cet aboiement caverneux et vain lui donnait la chair de poule.

Quand il revint, Honoré s'était fait tout beau — veston sombre, cravate sombre et béret. Il était prêt à aller prendre sa fine.

— Mes amitiés au maire.

— Il passera ici demain. Il parle bien anglais — pas aussi bien que moi, mais bien quand même. Il faudra que tu te lèves quand il entrera, Grahamme, comme un jeune homme bien élevé doit le faire devant un monsieur plus âgé et respectable. Bon, maintenant, je te charge d'apporter son café à maman.

Gray avait horreur de ça, horreur d'avoir, d'une main, à soutenir Enid qui sentait mauvais et qui bavait, et de l'autre à insérer de force entre ses lèvres tremblantes le bec de cette obscène tasse à embout. Mais il ne pouvait guère récriminer : c'était sa mère, c'étaient ces lèvres qui, il y a bien longtemps, avaient dit : « Comme je suis heureuse de te revoir à la maison, mon chéri », ces mains qui avaient caressé son visage quand elle l'embrassait pour lui dire au revoir, qui avaient cousu son nom sur ses vêtements d'écolier, apporté le thé au lit quand il faisait la grasse matinée pendant les vacances.

Tandis qu'il lui donnait le lait chaud avec un soupçon de café, et que, pour un quart de bu, les trois quarts du liquide dégoulinaient sur le couvre-lit, il la trouva plus faible que la veille au soir, le regard plus vague et plus lointain, les membres encore plus gourds. Elle ne le reconnaissait pas, le prenant sans doute pour quelqu'un qu'Honoré aurait fait venir du village. Lui non plus, il ne la reconnaissait pas. Ce n'était ni la mère qu'il avait aimée ni celle qu'il avait haïe, juste une vieille Française pour laquelle il n'éprouvait que répulsion et pitié.

Les liens entre mère et fils sont les plus forts qui puissent exister entre deux êtres humains. Qui avait dit cela ? Freud, pensa-t-il. Mais peut-être les plus faciles à détruire, aussi. Elle-même, Honoré et la vie en avaient eu raison, et maintenant, il était trop tard.

Il la débarrassa de la tasse puis la réallongea sur ses oreillers. Sa tête bascula sur le côté et elle se remit à ronfler, mais de façon irrégulière, cette fois, le souffle court. Même s'il n'avait jamais vu quelqu'un mourir, il savait, quoi qu'Honoré et le médecin puissent dire, et en dépit des fausses alertes et des rémissions passées, qu'elle était au bout du rouleau. Le lendemain ou le surlendemain, tout serait fini.

Il s'assit à côté du lit et acheva *Le Lagon bleu*, soulagé qu'elle fût encore en vie lorsque Honoré revint.

Enid continua à entrer dans la mort toute la journée suivante du mercredi. Même Honoré l'avait compris. Le Dr Villon et lui, assis dans la cuisine, attendaient en buvant du café. Honoré ne cessait de répéter quelque chose que Gray interpréta comme un désir de ne pas voir la situation se prolonger. Cela lui rappela Theobald Pontifex qui, dans *Le Destin de toute chair*, avait utilisé les mêmes mots lorsque sa propre femme, épouse délaissée, fut sur son lit de mort. Gray dénicha *Le Destin de toute chair* parmi les livres de sa mère et le commença, bien qu'il fût très éloigné de ses lectures habituelles : c'était un grand roman, tel qu'il les aimait auparavant.

Le Père Normand vint administrer l'extrême-onction à Enid et repartit sans prendre de café, soit qu'il jugeât le moment inopportun, ou que la dose de la veille eût été trop dure à avaler. Le maire ne se déplaça pas. Tout le village savait, à présent, qu'Enid mourait enfin. On ne l'avait guère aimée : comment auraient-il pu apprécier une étrangère, une Anglaise ? Honoré était très populaire, par contre : c'était un enfant du pays qui, fortune faite, était tout simplement rentré au bercail.

Cette nuit-là, Honoré n'alla pas à l'*Ecu* bien qu'Enid parût dormir un peu plus paisiblement. Il passa de nouveau toute la maison à l'aspirateur, refit des omelettes vertes et alluma enfin le chauffe-eau électrique pour Gray. Celui-ci sortit de la salle de bains vers 11 heures, enveloppé dans une robe de chambre à motif de dragon appartenant à son beau-père, espérant pouvoir filer directement au lit. Mais Honoré l'intercepta dans le hall.

— Il faut qu'on cause un peu tous les deux, il me semble. On n'a pas encore eu l'occasion.

— Si vous voulez.

— Oui, Grahamme, je veux. Coupe la lumière, s'il te plaît, ajouta-t-il tandis que Gray le suivait au salon.

Gray éteignit dans le hall. Son beau-père alluma une Disque Bleu et reboucha la bouteille de cognac dont il avait bu pendant que Gray prenait son bain.

— Assieds-toi, mon fils. Bon, tu es au courant au sujet des, euh — comment dis-tu ça en anglais ? — des *legs* de maman ?

Gray écarquilla les yeux : les jambes de sa mère ? Puis il comprit qu'il voulait parler de l'héritage.

— Oui, répondit-il avec circonspection.

— Moitié pour toi, moitié pour moi, c'est ça ?

— Je préférerais ne pas en parler. Elle n'est pas encore morte.

— Mais c'est pas pour ça que j'en cause, c'est pour

toi. Je m'inquiète seulement de ce que tu vas devenir, sans argent.

— Je ne serai pas sans argent, après que... Bon, passons à autre chose.

Honoré tira une longue bouffée de sa cigarette. Il sembla méditer un moment, le regardant par en dessous d'un air embarrassé. Puis il se mit tout d'un coup à parler, très fort et très vite.

— Il faut absolument que tu te remettes à écrire. Tu peux le faire parce que tu as du talent. Moi, je le sais, foi d'Honoré Duval. Je ne suis qu'un pauvre vieux serveur d'hôtel, tu me diras, mais je suis français, et les Français, ils savent. (Il se frappa la poitrine du poing.) C'est en nous, c'est de naissance.

— Ça reste à prouver, fit Gray.

Il avait souvent remarqué qu'Honoré n'était qu'un pauvre vieux serveur d'hôtel quand il voulait quelque chose, et dans l'hôtellerie internationale pour l'épate.

— Alors t'écris d'autres bouquins, comme ça tu te referas du fric et tu redeviendras indépendant. D'accord?

— Peut-être, louvoya Gray qui se demandait où il voulait en venir mais n'était nullement disposé à aller où que ce fût. Encore une fois, je ne veux pas parler. Je vais me coucher.

— D'accord, d'accord, on verra ça une autre fois. Mais je te le dis: c'est mal, très mal de compter sur l'argent des autres. Le travail, y a que ça de vrai.

Ceux qui habitent des maisons de verre ne doivent pas jeter de pierre, songea Gray.

— Je croyais qu'on changeait de conversation?

— Bon, très bien. Parlons de l'Angleterre, alors. J'y ai été qu'une fois. J'ai eu très froid, il a plu tout le temps, mais je m'y suis fait beaucoup d'amis: tous ceux de maman m'adorent. Alors dis-moi, comment vont Mme Palmaire, Mme Arcourre et Mme Ouarrinaire ?

Avec résignation, Gray lui expliqua que les deux premières, Mrs Palmer et Mrs Harcourt, ne faisaient plus partie de son cercle de relations, et que, pour autant qu'il sache, Mrs Warriner, la mère de Mal, vivait toujours heureuse et en bonne santé à Wimbledon. Honoré, qui avait repris contenance, hocha la tête d'un air solennel. Il écrasa sa cigarette et en alluma une autre.

— Et comment va cette bonne Isabel ? demanda-t-il.

11

Gray avait lui aussi allumé une cigarette. Il avait pris une allumette à Honoré, l'avait tenue baissée pour stabiliser la flamme, puis jetée dans le cendrier. Il ôta la cigarette de ses lèvres.

— Isabel?

— Qu'est-ce qui t'arrive, Grahamme? On dirait que t'as vu un fantôme. Peut-être que ton bain était trop chaud? Va prendre une couverture sur ton lit, sinon tu vas t'enrhumer.

— J'ai pas froid, articula machinalement Gray, sans même penser à ce qu'il disait.

Honoré haussa les épaules devant cet entêtement des jeunes à ne jamais écouter les conseils. Il se lança dans un panégyrique d'Isabel, s'extasiant sur sa force de caractère typiquement anglaise et sur son intrépidité : partir seule en Australie, à son âge !

Gray se leva avec raideur.

— Je vais me coucher, dit-il.

— En plein milieu de notre conversation? Comme tu voudras, mon fils, mais c'est à ses manières qu'on reconnaît un homme. Encore un proverbe anglais. C'est drôle qu'ils semblent n'avoir aucun sens pour les Anglais eux-mêmes.

Gray sortit en claquant la porte, négligea de couper

la lumière du hall comme Honoré le lui avait demandé, puis s'enferma dans sa chambre et s'assit sur le lit. Il commençait vraiment à sentir le froid, à présent, et avait la chair de poule.

Isabel, sacré bon sang ! comment avait-il pu l'oublier ? Et pourtant, il avait failli se rappeler en quittant la bicoque. Il savait que quelque chose le turlupinait, et il avait pensé à la soirée de miss Platt. Qu'est-ce que ça pouvait foutre, qu'il y aille ou non ! Alors que c'était Isabel qui lui trottait dans la tête. De vagues et fugaces réminiscences l'avaient mis mal à l'aise, comme lors de sa promenade vers la ferme des Fonds. A moins qu'il ne se soit trompé de week-end ?

Il y avait un vieux numéro du *Soir* dans la cuisine, celui de vendredi. Il s'y rendit donc et le trouva qui doublait l'intérieur de la poubelle rouge écarlate. *Vendredi 4 juin*, puis la photo des inondations d'une quelconque ville des antipodes qui avait dû constituer la grande nouvelle du jour. Si vendredi était le 4, aujourd'hui, le mercredi suivant, devait être le 9 et lundi avait été le 7. Pas la peine de chercher, d'ailleurs : le jour d'Isabel était celui où il devait rentrer de la boum de Francis.

Il s'assit à la table et resta prostré, se tenant si fort la tête dans les mains que sa paume brûlée recommença à lui élancer. Que pouvait-il faire, bon Dieu ! coincé ici à Bajon, sans un rond, avec sa mère à l'agonie ?

Il essaya d'imaginer calmement et logiquement la scène. Lundi 7 juin à midi, Isabel avait dû débarquer dans Pocket Lane avec sa Mini, entrer dans la bicoque avec la clef qu'il lui avait donnée, ouvrir la porte de la cuisine, déposer sur le couvercle de la baignoire une douzaine de boîtes de viande, mettre par terre une petite gamelle d'eau et, après moult caresses d'adieu et promesses de prompt retour, laisser Didon, la chienne labrador, seule dans la place.

Gray va bientôt rentrer, il va s'occuper de toi. Sois un bon toutou et dors jusqu'à ce qu'il arrive. Après quoi elle avait dû pendre la clef à son clou, refermer la porte de la cuisine et aller à Heathrow, prendre son avion pour l'Australie...

C'était effarant, mais les choses avaient dû se dérouler ainsi. Qu'est-ce qui aurait pu l'empêcher? Isabel savait qu'elle trouverait la maison vide, fermée, dans un état lamentable. Il n'avait pas laissé de message pour la prévenir qu'il était parti pour la France, n'en avait parlé à personne sauf à miss Platt qui, même si elle se trouvait dans son jardin à ce moment-là, ne connaissait pas Isabel et n'était pas du genre à cancaner sur ses voisins avec une étrangère.

La chienne. C'est ça qui était grave : Didon, avec sa bonne tête et ses yeux qu'il avait trouvés si doux. Bon sang! ils devaient être beaucoup moins doux, maintenant qu'elle était restée enfermée plus de deux jours dans ce trou avec, en tout, un fond de casserole d'eau, mais affolés, terrorisés. Et la nourriture qu'il y avait à côté d'elle, ironie du sort, était protégée par du métal que même les crocs et les griffes les plus opiniâtres ne sauraient entamer. En ce moment, lesdits crocs et griffes devaient être en train de labourer la porte verrouillée de la cuisine, celle du garde-manger, celle de la cave, jusqu'à ce que, de guerre lasse, elle se contente de hurler à la mort, en proie à une détresse bien plus grande que celle du chien enchaîné de la ferme.

Personne ne l'entendrait, là-bas, personne ne passerait dans le chemin avant Mr Tringham, samedi soir... Gray se leva et retourna au salon où Honoré était toujours assis, la bouteille de cognac une nouvelle fois débouchée.

— Honoré, est-ce que je peux me servir du téléphone ?

Requête beaucoup plus considérable que de demander un simple bain. Honoré n'utilisait le téléphone que pour appeler son beau-fils, peut-être trois fois dans l'année, pour des questions urgentes et, presque aussi rarement, pour faire venir le Dr Villon. Il était plus difficile de mettre la main sur un téléphone ici que de se le faire apporter sur un chariot dans un hôpital surpeuplé.

Après lui avoir lancé un regard étonné et réprobateur, Honoré s'ingénia à lui faire comprendre que l'appareil se trouvait dans la chambre d'Enid, que ce serait criminel de la déranger à minuit moins 10, et que, d'ailleurs, il croyait Gray en train de dormir.

— C'est urgent, lâcha-t-il sans explication.

Honoré n'était pas disposé à se contenter de cette réponse. Qui voulait-il appeler et pourquoi ? Une femme, certainement, à qui Gray avait donné un rendez-vous qu'il se voyait à présent dans l'impossibilité de respecter. Ce n'était pas inexact, dans un sens, mais Gray se garda d'en rien dire. Honoré poursuivit en lui disant qu'une communication avec l'Angleterre coûtait horriblement cher et que, secundo, une femme qu'on pouvait déranger à minuit devait être de trop petite vertu pour que la relation qu'il supposait que Gray avait avec elle fût morale. Lui, Honoré Duval, refusait de favoriser le dévergondage, surtout à une heure pareille.

Gray songea — ce n'était pas la première fois — combien il était absurde que les Français, considérés par les Anglais comme portés sur le sexe et cavaleurs, s'érigent en moralisateurs et prennent les Anglais pour des débauchés.

— C'est quelque chose que j'ai oublié de faire dans la précipitation du départ, expliqua-t-il en essayant de garder son calme. Quelque chose qui concerne Isabel.

— Isabel est en Australie, fit Honoré. Alors va au lit, Grahamme, et on verra ça demain. D'accord?

Inutile d'insister, se dit Gray. A qui aurait-il pu téléphoner, de toute façon? Il n'avait pas pensé à ça, dans son affolement : il ne pourrait joindre personne à cette heure de la nuit et il comprit, à son grand désarroi, qu'il n'y avait rien à faire avant le lendemain matin.

Il ne parvint pas à trouver le sommeil. Il ne cessa de se tourner et se retourner jusqu'à l'aube, se leva même parfois pour aller à la fenêtre. Le chien enchaîné commença à aboyer. Gray se jeta alors à plat ventre sur le lit. Vers 5 heures, il sombra — plus qu'il ne s'endormit — dans une somnolence hantée par ce rêve obsessionnel dans lequel Drusilla lui disait qu'elle voulait l'épouser.

— Tu vas demander à Microbe de divorcer? avait-il répondu, comme il le faisait maintenant dans le rêve.

— Comment le pourrais-je? Il refuserait, de toute façon.

— Si tu le quittais pendant cinq ans, il serait bien obligé, qu'il le veuille ou non.

— *Cinq ans?* Où on sera, dans cinq ans? Et puis qui va me faire vivre? Toi?

— Il faudrait qu'on travaille tous les deux. On parle de chômage, mais du boulot, il y en a si on n'est pas trop difficile.

Ses mains blanches chargées de bagues, qui n'avaient sans doute jamais accompli tâche plus lourde que d'arranger des fleurs dans un vase, fouetter de la crème, laver de la soie... Elle le regarda fixement, ses fines lèvres roses esquissèrent une moue dédaigneuse.

— Gray, je ne peux pas vivre sans argent. J'en ai toujours eu. Même avant de me marier, j'ai toujours eu tout ce que je voulais. Je n'ose pas imaginer ce que serait l'existence si je ne pouvais pas entrer dans un magasin et m'acheter ce qui me fait envie quand j'en ai envie.

— Alors on continue comme on est.

— Il pourrait mourir, dit-elle. Tout me reviendrait, dans ce cas. C'est dans son testament, je l'ai vu. Il a des centaines de milliers de livres en actions. Pas un million, mais des centaines de milliers.

— Et alors? C'est à lui. D'ailleurs, qu'est-ce que t'en ferais, si tu les avais?

— Je te les donnerais, répondit-elle simplement.

— Ça ne te ressemble pas, ma petite Dru.

— Puisque je te dis que je te les *donnerais*, sacré nom!

— Et qu'est-ce que tu veux que je fasse? Que je le tue pour toi?

— Oui.

Il s'éveilla, agité, trempé de sueur, marmonnant: « Je ne pourrais tuer ni homme ni bête. Pas même une mouche, pas même une guêpe... » Puis il se souvint. Une bête, il était en train d'en tuer une à ce moment précis, un chien. Vint alors, simultanément, un immense soulagement: la certitude soudaine et apaisante que tout s'était arrangé, qu'Isabel n'avait pas laissé Didon, en fin de compte. Parce qu'elle aurait rencontré le laitier. Elle avait dit midi et elle était toujours à l'heure. Le laitier aussi l'était toujours, et il passait à midi sauf le vendredi où il venait plus tard. Lui savait que Gray était parti, et il aurait prévenu Isabel. Elle se serait fichue en rogne, mais elle n'aurait pas laissé la chienne.

Il sombra aussitôt dans un profond sommeil sans rêve, dont il ne fut tiré que vers 8 heures par les intonations pompeuses et pontifiantes du Dr Villon. Le ronflement n'était plus audible. Gray se leva et s'habilla à la hâte, honteux d'éprouver ce soulagement et cette joie alors que sa mère était en train de mourir — sinon déjà morte.

Mais non : une étincelle de vie s'accrochait à ce corps inerte et se manifestait dans le faible mouvement respiratoire de sa poitrine sous les draps. Il fit le geste auquel Honoré l'avait exhorté, mais qu'il ne voulait pas accomplir en présence de son beau-père : il déposa doucement un baiser sur la joue hâve et jaunâtre. Puis il se rendit à la cuisine où Honoré répétait qu'il ne voulait pas que la situation se prolonge.

— Bonjour, fit Gray. Je crois qu'il va faire chaud aujourd'hui. Bon, je sors chercher du pain.

Bajon baignait dans la dure lumière blanche du soleil. Au bout de la route poussiéreuse, sous le panneau publicitaire *(Désirée: votre soutien-gorge)*, des mirages frémissants miroitaient au-dessus des ornières. Il acheta deux baguettes et rentra, croisant au passage un laitier avec sa carriole. Malgré sa chemise noire, son béret basque et son air typiquement gaulois, il n'était pas sans une certaine ressemblance avec le laitier de Gray. Impression encore accrue quand l'homme leva la main et lui lança : « Bonjour, m'sieur ! »

Gray répondit par un petit signe. Il ne verrait plus jamais son laitier à lui, qui lui manquerait plus que n'importe qui d'autre à Pocket Lane. Sympa et même émouvante, la façon dont il lui avait serré la main lorsqu'ils s'étaient dit au revoir et...

Bon dieu ! Il avait oublié ! Isabel ne pourrait pas avoir vu le laitier puisqu'il ne passait plus. Gray l'avait réglé et lui avait fait ses adieux, il ne descendrait donc pas jusqu'à chez lui. Il avait même dit que c'était sa seule consolation à la perte de la clientèle de Gray : il n'aurait plus à aller tout au bout du chemin. Bon dieu de bon dieu ! Il ne devait qu'à une illusion d'avoir resquillé ces quelques heures de sommeil. La situation était la même que la nuit dernière, en pire : Didon *était* à la bicoque depuis maintenant — il était 9 heures et demie — près de soixante-dix heures.

Il se sentit presque défaillir sous cette chaleur, ses baguettes à la main, devant l'énormité de la chose. Il aurait voulu fuir, se cacher quelque part, longtemps, à l'autre bout de la terre. Mais c'était ridicule de se dire ça : il fallait rester, téléphoner à quelqu'un, tout de suite.

Mais à qui ? A miss Platt, bien sûr. C'est elle qui habitait le plus près et c'était une brave femme qui adorait sans doute les bêtes, pas une de ces vieilles ronchonneuses qui se feraient un plaisir de stigmatiser sa cruauté et d'aller ensuite la crier sur les toits. C'était une femme pratique, débrouillarde. Elle n'aurait pas peur de la chienne qui, affamée et affolée, devait être sûrement beaucoup moins commode. Quel idiot il avait été de refuser la proposition de miss Platt d'aller jeter un coup d'œil sur la bicoque ! Si seulement il avait dit oui, rien de tout cela ne serait arrivé. Bon, inutile de se lamenter, maintenant. La seule chose à faire était de chercher à se procurer son numéro.

— Comme tu es pâle ! s'écria Honoré quand il le vit poser le pain sur la table de la cuisine. Ce doit être le choc, expliqua-t-il au Dr Villon. Pourvu qu'il ne soit pas patraque, qu'est-ce que je ferais avec deux malades sur les bras ?

— Il me faudrait le téléphone, Honoré. S'il vous plaît.

— Ah ! pour appeler cette mauvaise femme, hein ?

— Cette mauvaise femme a soixante-dix ans et habite à côté de chez moi, en Angleterre. Je veux qu'elle aille voir quelque chose dans ma maison.

— Mais le téléphone se trouve dans la chambre de Mme Duval ! s'exclama le Dr Villon.

Gray répondit qu'il le savait, mais que le fil était assez long pour pouvoir le transporter dans le hall. Tout en grommelant sur l'énormité de la dépense, Honoré alla le chercher et le posa d'un geste brusque sur le plancher. Gray composait le numéro des renseignements lorsqu'il se souvint que miss Platt ne serait plus là-bas : c'était jeudi et elle avait déménagé.

Allons ! ne pas se laisser abattre. Il y avait d'autres recours. Francis, par exemple. Il n'apprécierait pas, mais il le ferait. À moins d'être un monstre, on ne pouvait pas refuser une chose pareille. Et puis non, se souvint-il, impossible : Francis était dans le Devon avec Charmian. Jeff, alors ? Il serait sur place en un rien de temps, avec la fourgonnette. Excellent. Au bout d'un long moment, Gray entendit le lointain dring-dring du téléphone à Tranmere Villas. Jeff était le type parfait, pour ça : pas emmerdeur, pas con, pas du genre à demander des explications à n'en plus finir ou à faire toute une histoire pour entrer par effraction dans la bicoque. Parce que c'est ce qu'il faudrait faire, vu que lui, Gray, avait une clef, que l'autre était suspendue au clou et que la troisième...

Au bout de vingt dring-dring sans réponse, il abandonna. Pas de temps à perdre : Jeff devait être sorti avec la fourgonnette. Qui d'autre, alors ? Il y en avait des centaines : David, Sally, Liam, Bob... David devait être au travail et Dieu sait où il travaillait. Sally était partie à Mull. Liam faisait partie de ces douzaines d'amis qui, selon Jeff, avaient quitté Londres et Bob serait en cours. Il y avait bien

Mrs Warriner, dont il avait eu des nouvelles par Mal, mais il n'était plus en contact avec elle depuis trois ans et il se voyait mal imposer à une sexagénaire de Wimbledon, sans voiture, un déplacement de trente kilomètres.

Non, il fallait revenir à Pocket Lane et passer les effectifs en revue. Dommage qu'il n'ait pas baratiné la fille de la bibli ou lié connaissance avec des gens du coin. Mr Tringham n'avait pas le téléphone. Ne restaient plus que les Willis. Son courage l'abandonna presque, mais il n'y avait pas d'échappatoire possible. Une image éclair de Didon gisant sur le sol, babines retroussées, langue gonflée entre les crocs serrés, et il se retrouva en train de demander aux renseignements le numéro des Willis.

— Ouilisse, répéta l'opératrice, apparemment déroutée par ce nom imprononçable pour une bouche française. Comment vous écrivez ça ?

Gray le lui épela. Dring-dring, dring-dring... Elle aussi serait sortie ou en vacances. Le monde entier était aux abonnés absents. Il se laissa choir à terre et passa sa main sur son front moite. Un déclic dans le combiné. Elle répondit.

— Pocket Farm.

— Un appel pour vous de Bajon-sur-Lone, en France, fit l'opératrice.

— Très bien. Qui est à l'appareil ?

— Mrs Willis ? Ici, Graham Lanceton.

— *Qui ?*

— Graham Lanceton. Nous avons malheureusement eu un petit différend, la dernière fois que nous nous sommes rencontrés. J'habite au Cottage Blanc et il se trouve que...

— Etes-vous l'individu qui a eu l'impudence de faire entrer les vaches dans mon jardin et de m'insulter avec les mots les plus orduriers qu'on m'ait jamais...

— Oui, oui, et je suis vraiment désolé. Je vous en supplie, ne raccrochez pas !

— Vous ne manquez pas de toupet ! s'écria-t-elle en fracassant le combiné sur sa fourche.

Gray poussa un juron et décocha un coup de pied au téléphone. Il se retourna vers Honoré et vers le docteur et se servit une tasse de café.

— Alors, ça a marché ? demanda son beau-père avec un sourire en coin.

— Non.

Il brûlait d'envie de se confier à quelqu'un, d'avoir un avis extérieur, même d'un personnage aussi désespérément inadéquat qu'Honoré. Il avait l'esprit obtus et bourgeois, mais les bourgeois savent souvent quoi faire en cas d'urgence. Il s'assit donc et expliqua ce qui s'était passé et comment il avait échoué à y remédier.

Un voile de perplexité s'abattit sur le visage d'Honoré. Il resta un moment muet de stupéfaction, puis traduisit au médecin tout ce que Gray avait dit. Ils débattirent quelques instants de la question — trop rapidement pour être compris de Gray — avec force hochements de tête, haussements d'épaules et gestes des mains.

— Ta maman est en train de mourir et tu t'inquiètes pour un chien ? fit enfin Honoré.

— Je vous ai expliqué.

— Pour un *chien* ! répéta Honoré en levant les bras au ciel. (Il eut un petit rire sec et s'adressa au Dr Villon, plus lentement et en un français plus compréhensible cette fois.) Je sais que c'est un cliché de dire ça, mais ils sont tous fous, ces Anglais. Moi qui en ai épousé une, je suis bien obligé de le reconnaître. Ils aiment plus les bêtes que les gens.

— Je retourne veiller sur ma malade, fit le médecin en lançant à Gray un regard lourd de reproches.

Gray regagna le hall. Toute la chaleur semblait s'être enfuie de son corps et il frissonnait, à présent. Il fallait sauver ce chien et il devait téléphoner à quelqu'un de le faire pour lui. Il ne restait plus qu'une seule personne.

Elle, bien sûr. Et, étrangement, elle semblait la plus appropriée pour cette tâche. Elle n'hésiterait pas, elle n'aurait pas peur, elle avait une clef et elle habitait suffisamment près pour être sur place en un quart d'heure.

C'était jeudi. C'était jeudi qu'ils étaient devenus amants, un jeudi qu'ils s'étaient séparés. Le jeudi avait toujours été leur jour, le jour de Jupiter, le plus puissant des dieux.

Il s'assit par terre, sans toucher au téléphone, pas encore, face à face, comme pour un appel perdu d'avance. Un téléphone immobile, expectant, suffisant, qui attendait sa reddition. Et qui, bien que silencieux, semblait dire : « Je suis le magicien, le sauveur, le briseur de cœurs, le lien entre les amants, le dieu qui redonnera vie à un chien et te replongera dans l'esclavage. »

12

Un flot de soleil se déversait par le verre dépoli de la porte d'entrée, l'aveuglant presque. C'est par une semblable lumière de début d'été qu'elle s'était tenue, ce matin-là, dans la cuisine de la bicoque où Didon se trouvait actuellement. Elle était si belle, et la lumière si éclatante, qu'il avait eu de la peine à supporter un tel éblouissement.

— Exactement, avait-elle dit en ouvrant de grands yeux que le soleil ne gênait pas, eux, puisqu'il était dans son dos. Pourquoi pas? Pourquoi ne pas le tuer?

— Tu rigoles. T'es pas sérieuse.

— Non? Eh bien j'ai même réfléchi comment faire. Tu l'attires ici et tu lui donnes de l'acide comme à moi l'autre fois, sauf que lui, il saura pas : tu le mets dans son thé. Et quand il s'en ira — il faudra bien calculer le temps — il passera direct par-dessus le rond-point de Wake.

— En plus du fait que je ne ferais jamais un truc pareil, ça ne tient pas debout. C'est vieux comme le monde, de défoncer les gens à l'acide pour rigoler.

— Mais je rigole pas, sacré nom ! Ça marcherait.

Il avait souri d'un air embarrassé comme on sourit des extravagances des autres puis, avec un haussement d'épaules, faisant retraite de la lumière vers une ombre plus pondérée et apaisante, avait répondu :

— Fais-le toi-même, alors. C'est ton mec. Donne-lui de l'acide et laisse-le se planter sur la route de Loughton si ça te chante, mais ne compte pas sur moi pour t'en procurer.

— Gray... (Cette main dans la sienne, l'effleurement de ses fines lèvres parfumées sur son cou, son oreille.) Je t'en prie, parlons-en. Juste pour rire, si tu veux, pour voir si on y arriverait. On n'a qu'à jouer à l'épouse malheureuse et son amant, comme dans les histoires de meurtre : Mrs Thomson et Bywaters, ou Mrs Bravo et son vieux toubib. Rien que pour causer, Gray.

Il se releva d'un coup et s'éloigna de cette lumière flamboyante tandis qu'un autre vieux toubib, celui de sa propre mère, sortait de la chambre de la malade. Il leva les bras au ciel, poussa un soupir et se dirigea vers la cuisine. Gray s'accroupit de nouveau, décrocha le combiné et le reposa tout de suite. Il ne pouvait pas lui parler. Comment avait-il seulement pu l'envisager ? Il devait bien y avoir d'autres gens, quelqu'un... Mais il avait déjà cherché. En vain.

La seule chose à faire, c'était d'examiner la situation en termes purement pratiques, d'oublier tous ces rêves qu'il avait eus d'elle, tous ces rappels de souvenirs, d'oublier même ce qui s'était passé et où il en était maintenant. Bon, il avait eu une liaison amoureuse, une liaison qui l'avait comblé, comme cela arrive à la plupart des gens à un moment de leur existence. Elle avait pris fin parce qu'ils n'étaient pas vraiment faits l'un pour l'autre. Mais il n'y avait aucune raison de ne pas rester amis, n'est-ce pas ? S'il devait passer sa vie à avoir la trouille de rencontrer toutes les femmes avec lesquelles il avait eu une quelconque relation, il n'était pas au bout de ses peines. Parler à une vieille amie, il n'y avait pas de quoi en faire une maladie.

— Une vieille amie? *Drusilla?* Allons, suffit... Il n'allait pas épiloguer là-dessus toute la journée alors que le chien était là-bas, affamé, en train de devenir fou, peut-être. Il fallait appeler, juste une fois. Ce qui pourrait d'ailleurs lui faire du bien, en un sens : entendre sa voix s'adresser à lui — pas en monologue comme à Marble Arch —, écouter les idioties qu'elle lui sortirait le guérirait très probablement d'elle une bonne fois pour toutes.

Avec le demi-sourire blasé et un peu mélancolique du tombeur donnant à sa maîtresse répudiée une bague en souvenir du bon vieux temps, il décrocha et composa le numéro. L'indicatif régional et les sept chiffres. C'était si simple. Sa main tremblait — absurde, n'est-ce pas? Il s'éclaircit la gorge, écouta la sonnerie, une fois, deux fois, trois fois...

— Oui?

Son cœur chavira. Il y porta la main, bêtement, comme s'il pouvait en apaiser la turbulence à travers sa chair et ses côtes. Et maintenant, il était presque tenté de faire ce qu'il avait fait samedi soir, respirer seulement, écouter sans parler. Il ferma les yeux. Derrière ses paupières closes, la lumière du soleil se mua en un lac écarlate, ardent, traversé de météores.

— Oui?

Il racla de nouveau sa gorge qu'il sentait à la fois sèche comme de l'étoupe et encombrée de mucosités.

— Drusilla.

Il ne put proférer que ce seul mot, mais il fut suffisant. Suffisant pour causer un profond silence, rompu enfin par le long soupir qu'elle poussa. Un son rêche, semblable au crissement d'un ongle sur la soie.

— T'en auras mis, du temps, fit-elle avec lenteur, articulant chaque mot avec soin. (Puis d'un coup, sur ce ton dur qu'elle avait auparavant.) Qu'est-ce que tu veux ?

— Dru, je... (Où était-il, le tombeur qui passait un coup de fil désinvolte à une ancienne copine ? Gray essaya de se raccrocher à l'image insaisissable de ce Don Juan qui n'avait jamais véritablement été un *alter ego*, de prendre sa voix.) Comment tu vas, depuis tout ce temps ?

— Bien. Je vais toujours bien, moi. Mais t'appelles pas pour me demander ça ?

— Non, répondit Don Juan. Je t'appelle parce que tu es une vieille amie.

— Une vieille quoi ? Tu manques pas d'air !

— Dru... (La voix ferme, à présent, ne se préoccupant plus que de la chienne.) Je voudrais que tu me rendes un service.

— Pourquoi je le ferais ? Tu ne m'en as jamais rendu, toi.

— Je t'en prie, Dru, écoute. Je sais que je n'ai pas à te demander quoi que ce soit, et je ne le ferais pas si ce n'était pas terriblement urgent. Il n'y a personne d'autre à qui je puisse m'adresser. (Ce n'était pas si dur, après tout, le premier choc passé.) Je suis en France. Ma mère est... disons en train de mourir.

Il lui expliqua, comme il l'avait fait avec Honoré, mais de façon plus succincte.

Une sorte de gémissement, de trémulation douce lui parvint dans l'écouteur. L'espace d'un instant, il crut qu'elle était en train de pleurer. Non point à cause du tragique de l'histoire, mais sur eux deux, sur ce qu'ils avaient perdu. Puis un halètement. De rire.

— Ce que tu peux être couillon ! T'en rates jamais une.

— Mais tu vas y aller, dis ?

Un silence. Un éclat de rire étouffé. Il lui parlait normalement, comme si de rien n'était, et elle riait aussi normalement, comme si de rien n'était. Incroyable.

— J'irai, fit-elle. J'ai pas tellement le choix, hein ? Bon, qu'est-ce que j'en fais, une fois que je l'aurai sortie ?

— Tu pourrais l'amener chez un véto ?

— J'en connais pas, moi, des vétos ! Enfin, j'en trouverai un. Mais je crois que t'as perdu la boule.

— Tout à fait possible. Dru, est-ce que tu pourrais... tu veux bien me rappeler à ce numéro ? Je ne peux pas, moi, parce que mon beau-père m'en fera un flan si j'utilise trop son téléphone.

— Je te rappellerai dans la soirée. Ça m'étonne pas, ce que tu dis de ton beau-père. T'es toujours fauché. C'est ça, ton problème : celui qui n' a pas de ronds, les autres le traitent comme un gamin. C'est la loi de la vie.

— Dru...

— Oui ?

— Rien, fit-il. Tu me rappelles, alors ?

— Faudra que je le répète combien de fois ?

Elle lui raccrocha au nez. Il n'avait même pas eu le temps de dire au revoir. Elle ne le disait jamais, elle. Il ne se souvenait pas l'avoir une seule fois entendue prononcer ces mots. Il se releva en titubant, fila dans la salle de bains et vomit dans les toilettes.

Mis à part le ronflement irrégulier d'Enid, le silence régnait dans la maison. Gray était allongé sur son lit dans la chambre bleue dont les rideaux tirés ne parvenaient pas à faire écran au flamboiement de la lumière de midi. En face de l'échafaud, Mme Roland, le regard lointain, lui jetait d'un ton méprisant : « O liberté, que de crimes on commet en ton nom ! »

Enfin, il l'avait fait et ça ne s'était pas trop mal passé. Sa nausée était un contrecoup normal, après s'être déchargé d'une telle tension. Il avait parlé à sa maîtresse répudiée et le chien serait sauvé. Il avait fait montre de calme et de sens pratique, il était presque devenu ce que son beau-père ou Isabel auraient appelé une personne mûre, un adulte. Bon. C'est le premier pas, il l'avait fait. Mais ça ne lui ferait pas de mal, à ce moment précis, de garder à l'esprit, par une autre de ces évocations, l'horreur à laquelle il avait échappé et le précipice qui pourrait encore s'ouvrir sous ses pas.

— Sérieusement, avait-il dit, je ne vois pas comment on pourrait l'attirer ici.

— Facile : tu lui écris une lettre.

— Quel genre de lettre ? « Cher Microbe, si vous vouliez vous pointer un après-midi, je vous refilerais de l'acide pour que vous vous plantiez en bagnole. Bien à vous, G. Lanceton. » ?

— Arrête tes conneries. Il collectionne les pièces de monnaie, n'est-ce pas ? Il passe toujours des annonces pour en avoir dans une espèce de canard qui s'appelle *Nouvelles Numismatiques.* Tiens, prends donc ta machine.

Il avait joué le jeu, pour lui faire plaisir.

— Bon, je dicte. Mets ton adresse et la date, le 6 juin. (Elle regardait par-dessus son épaule. Il sentait ses cheveux lui effleurer le visage.) Ecris, maintenant : « Monsieur, En tant que confrère numismate... » Non, ça ne va pas. « Monsieur, Suite à votre annonce... » Quelquefois, il en passe dans le *Times.* Zut ! prends une nouvelle feuille.

Au bout de combien de tentatives étaient-ils

parvenus à un texte qui lui convenait ? Trois ? Quatre ? Ce fut enfin la version définitive, parfaite : « *Monsieur, Suite à votre annonce parue dans le* Times, *j'ai le plaisir de vous informer que je pense disposer exactement de ce que vous cherchez. Comme ma maison n'est pas très éloignée de la vôtre, le mieux serait peut-être que vous veniez la voir sur place ? Samedi 4 heures me conviendrait très bien. Salutations distinguées...* »

— Et maintenant, je suis censé signer ?

— Vaudrait mieux pas mettre ton vrai nom.

Il signa *Francis Duval*. Elle plia la lettre et lui fit taper l'enveloppe : *Mr Harvey Janus, Combe Park, Wintry Hill, Loughton, Essex.*

Le sourire complaisant de Gray s'était fait plus crispé, plus grimaçant.

— Mais, Dru, avait-il dit, je n'ai pas de vieilles pièces, moi.

— Je t'en passerai une. Il a une pleine boîte de rogatons, des trucs qu'il croyait avoir de la valeur quand il a commencé sa collection. Je te refilerai un denier romain.

— Mais il verra tout de suite que c'était du bidon ?

— Bien sûr, et après ? Il comprendra que tu ne t'y connais pas, il te dira que ce n'est pas ce qu'il cherche, tu répondras que tu es désolé mais que, puisqu'il est là, il acceptera peut-être une tasse de thé ?

— Dru, je commence à en avoir assez, de ce petit jeu.

O liberté, que de crimes... On sonnait à la porte d'entrée. Gray se leva de son lit car personne n'allait ouvrir. Il y avait un petit mot sur la table du hall : *Parti au village faire des courses. Prends soin de Maman. Honoré.* Il ouvrit la porte : un homme d'un certain âge, bedonnant, en complet et feutre gris, était planté sur le seuil. Gray reconnut le maire qu'Honoré lui avait une fois désigné de l'autre côté de la rue.

— Entrez, monsieur, je vous en prie.

— Monsieur Graham Lanceton ? fit le maire dans un anglais presque parfait. J'ai vu votre beau-père, au village, et il m'a dit que je pouvais passer. Comment va votre pauvre mère ?

Gray répondit que son état était stationnaire et le fit entrer au salon. Il fut ébahi de la maîtrise que le maire avait de l'anglais, après les commentaires d'Honoré. C'était bien de lui : avec une prétention démesurée, il avait dû s'autopersuader qu'il était le meilleur linguiste. Devinant son étonnement, le maire eut un sourire.

— Il y a bien longtemps, j'ai passé une année chez vous. J'étais dans une société de Manchester. Une jolie ville.

Gray avait plutôt entendu des avis contraires, mais se garda de le dire ;

— Je crois que vous, euh... vouliez me donner votre opinion sur mon livre.

Autant se débarrasser de ça tout de suite.

— Je ne me permettrais pas, monsieur Lanceton, je ne suis pas critique littéraire. J'ai lu votre roman. Il m'a rappelé de bons souvenirs de Manchester.

Ce que Gray ne comprit pas très bien, vu que *Le Vin de l'étonnement* se déroulait exclusivement à Notting Hill, mais il fut soulagé de couper à l'épreuve de la critique. Le maire restait assis en silence, souriant, l'air tout à fait détendu.

— Voudriez-vous du café ? proposa Gray.

— Non merci. Mais vous auriez peut-être du thé ?

Si seulement il y en avait ! Pas le moindre brin de thé n'avait jamais franchi la porte du Petit Trianon.

— Je crains que non, malheureusement.

— Aucune importance. Ce n'est ni pour cela ni pour discuter littérature contemporaine que je suis venu.

Pourquoi donc, alors ? Le maire resta installé dans son silence béat pendant une bonne minute. Puis il se pencha en avant.

— Votre beau-père, dit-il, est un homme plein d'allant. Pétulant, même, je crois que c'est le mot ?

— Enfin, c'est *un* mot.

— Un homme spontané qui, je pense pouvoir le dire, montrerait quelque propension à notre vice national : faut-il nommer l'avarice si répandue dans la paysannerie. Mais qu'est-ce qu'un petit vice parmi tant de vertus ?

L'anglais du maire se faisait à chaque phrase de plus en plus sophistiqué et sémantiquement recherché. Il rappelait à Gray le discours des notaires dans les romans victoriens. Il l'écoutait, déconcerté mais fasciné.

— Il a toujours voulu engranger pour rien ou presque, et semer des miettes pour récolter du pain.

— Je crains de ne pas bien vous suivre, monsieur.

— Ah ! c'est possible. Alors trêve de métaphores, j'en viens au fait. Je suppose que vous vous attendez, lorsqu'il arrivera quelque chose à votre mère — j'adore le tact de cet euphémisme anglais — à devenir son héritier ?

Gray en resta interloqué.

— Pour moitié, oui.

— Mais la moitié de quoi, monsieur Lanceton ? Ecoutez-moi, si vous voulez bien, je vais vous expliquer. La moitié de ce que votre pauvre mère laissera lorsqu'elle partira — vous voyez, je sais que les Anglais n'aiment pas utiliser le mot direct et froid

— se résumera, disons-le tout net, à la moitié de ce pavillon !

Gray écarquilla les yeux.

— Je ne comprends pas : ma mère avait investi une grosse somme d'argent lorsqu'elle s'est remariée, et...

— « Avait », l'interrompit le maire sur un ton affable, voilà le mot-clé. Je vous parlerai sans détour : M. Duval a réinvesti cet argent — il a spéculé, si vous voulez. C'était une affaire en or, je crois, une voie ferrée qui devait être construite et qui, hélas ! ne l'a pas été. Je vous laisse imaginer.

Gray imagina. Il ne connaissait rien à la Bourse, sauf ce que tout le monde sait : qu'il est plus facile d'y perdre que d'y gagner. Mais il n'éprouva ni écœurement, ni colère, ni même trop de déception. Comment avait-il pu croire qu'il lui viendrait jamais de l'argent de quelque source que ce soit ?

— Alors vous voyez, Mr Lanceton, fit le notaire victorien, si vous réclamiez votre part d'héritage — comme vous seriez en droit de le faire —, vous ne feriez que priver un homme vieillissant de son toit. Vous ne voudriez pas une chose pareille, je suis sûr ?

— Non, répondit tristement Gray, je ne voudrais pas.

— Bien. Excellent. (Le maire se leva, toujours souriant.) Je savais que mes paroles ne seraient pas vaines. On parle le même langage, tous les deux, ajouta-t-il avec un petit rire pédant.

— De quoi vivra-t-il ? demanda Gray en lui serrant la main.

— Il avait eu la prévoyance, le pauvre homme, de se constituer une petite rente viagère.

Pas étonnant de sa part.

— Au revoir, dit Gray.

— Je ne suis pas assez optimiste pour espérer que

votre mère recouvre la santé, monsieur Lanceton. Souhaitons seulement que ses souffrances ne se prolongent pas trop.

Il avait dû prévoir de retrouver Honoré quelque part pour rendre compte de l'entrevue car, lorsque ce dernier rentra avec un grand sac plein de provisions, il était d'humeur pétulante, pour reprendre l'expression du maire. Au point d'étreindre Gray.

— Mon fils, mon fils! Comment va-t-elle, la mauvaise femme? Tu as pu la joindre? Et le pauvre chien?

Gray répondit, avec un grand effort d'imagination, que tout était arrangé, maintenant.

— Alors je vais nous faire à déjeuner. Au menu: des croque-monsieur.

— Non, c'est moi qui m'en occupe. (Même ce plat si simple, malgré son nom grandiloquent, n'était pas en sécurité entre les mains d'Honoré, qui n'aurait pas manqué d'ajouter des herbes et de l'ail au fromage.) Allez tenir compagnie à maman, vous.

Pauvre Honoré. Pauvre, c'était le cas de le dire. En coupant les tranches de fromage, Gray réfléchit à l'étrange sensation de calme qui l'habitait. Il se sentait le cœur léger, même. Honoré riche, il l'avait détesté, un peu comme un roi son Hamlet. Mais pour Honoré pauvre, il éprouvait une compassion confraternelle. Ces restrictions sur l'eau du bain, cette obsession à faire « couper l'électricité », cette surveillance frénétique du téléphone, n'étaient-elles pas seulement, après tout, le genre d'économies auxquelles lui aussi était obligé de s'astreindre? Il trouva amusante l'idée de ces deux personnages, Honoré et le maire, prenant leur courage à deux mains pour lui dire la vérité, redoutant sa légitime colère. Mais cela ne l'avait pas du tout courroucé. Il aurait sans doute fait la même chose, à la place d'Honoré: il aurait claqué tout son fric dans une affaire tordue, puis délégué un ambassadeur plus brave que lui pour avouer la chose à son juge.

Non, il n'était pas en colère. Juste un peu honteux d'avoir accusé mentalement Honoré de vouloir supprimer sa femme. Tous les gens mariés n'étaient pas des Drusilla, quand même.

— Drusilla, avait-il dit, j'en ai assez. C'est aussi stupide que de rêver à ce qu'on ferait si on gagnait au loto.

— Pas du tout. On ne peut pas intervenir sur le loto, tandis que là, si. Laisse-moi poster cette lettre : je l'ai toujours.

— La date est passée.

— Ecris-en une autre, alors. Quel jour est-on ? Le 1er juillet. « Monsieur, Suite à votre annonce... »

— Je sors me promener. C'est pas marrant de rester avec toi, si tu sais rien faire d'autre que jouer à ce jeu idiot

— C'est pas un jeu, c'est sérieux.

— Bon, c'est sérieux. Alors, une bonne fois pour toutes, écoute-moi. Même en dehors de toute considération morale, ça ne marcherait pas. Il ne mourrait sans doute pas. Il se sentirait bizarre, il s'apercevrait des distorsions de sa vision et il garerait la voiture sur le bas-côté. Il demanderait au premier automobiliste venu de l'emmener à la police. Et la première personne qu'ils viendraient trouver, c'est moi.

— Tu ne le connais pas : il conduit toujours comme un fou, il n'arriverait pas à s'arrêter à temps. Et les flics ne remonteraient pas jusqu'à toi parce que je récupérerais la lettre et je la brûlerais.

— Brûle-la tout de suite, avait-il dit.

Il s'ébroua et regarda Honoré qui, assis de l'autre côté de la table, mangeait son croque-monsieur. Une lueur intense jaillissait de son regard mais, Gray le compris soudain, ces yeux malicieux n'avaient pas la malignité de ceux d'un meurtrier potentiel. Il n'était pas assez intelligent pour être méchant. Gray réalisa aussi que depuis son arrivée au Petit Trianon jusqu'à aujourd'hui où il s'était décidé à préparer le déjeuner, il n'avait pas donné le moindre coup de main. Honoré s'était occupé de tout, et plutôt bien.

Pourquoi ne sortiriez-vous pas un peu ? dit-il. Vous avez besoin de vous changer les idées. Allez faire un tour en voiture.

Il n'utilisait presque jamais la Citroën qui passait son temps au garage, sous une housse de nylon, et n'était sortie qu'une fois par semaine pour aller au lavage. Mais cela aussi, Gray le comprenait, à présent.

— Et où j'irais ?

— Voir des amis, au cinéma... je ne sais pas, moi.

Honoré leva les bras au ciel et esquissa son petit sourire espiègle.

— Moi non plus, Grahamme.

Ils s'installèrent donc tous deux dans la chambre d'Enid et attendirent qu'elle meure. Gray lut par intermittence *Le Destin de toute chair*. Il tenait la main de sa mère, très calme, très tranquille. Elle était en train de mourir mais il n'avait plus rien à espérer de sa mort, plus d'argent qui lui éviterait de travailler, qui le maintiendrait dans un cocon d'oisive sécurité. La chienne était sauvée, maintenant. Drusilla allait bientôt lui téléphoner, il la remercierait et ils se feraient solennellement des adieux définitifs. Même elle lui dirait au revoir. C'était merveilleux de se sentir ainsi dégagé, de savoir qu'aucun crime ne serait à commettre au nom de la liberté.

La soirée était étouffante, comme si un orage

menaçait. Peut-être pas pour cette nuit ou pour demain, mais pour bientôt. Honoré était parti à l'*Ecu*, convaincu par Gray que cela lui ferait du bien et que sa présence au chevet d'Enid n'apporterait rien de plus.

Gray, en paix avec lui-même depuis la mi-journée — à croire que son malaise physique lui avait aussi purgé l'esprit — sentit la tension monter peu à peu en lui. Il avait pensé s'installer dehors parmi les nains et les tripodes : en laissant les portes ouvertes, il entendrait le téléphone sonner car il avait placé l'appareil par terre dans le hall, près de la cuisine. Mais même dans le jardin, il ne parvint pas à se concentrer sur les derniers chapitres de son livre.

C'était jeudi, et Microbe partait pour sa réunion maçonnique tous les jeudis vers 6 heures. Elle aurait donc pu appeler à ce moment-là. Pourquoi ne l'avait-elle pas fait ? Il se dit que c'était uniquement le sort de la chienne qui le préoccupait. La chienne et Isabel. Drusilla n'était rien de plus que ce qu'il avait dit ce matin-là : une maîtresse répudiée. Il ne s'intéressait à elle que comme à une vieille amie qui lui rendait un service.

C'était jeudi. Sûr qu'elle ne devait toujours pas s'embêter, le jeudi soir. Peut-être avec le mec du tennis, ce Ian quelque chose. Possible qu'elle soit avec lui en ce moment et qu'elle attende qu'il s'en aille pour téléphoner. Gray médita sur cette idée, la trouva particulièrement déplaisante et retourna dans la maison. Le chien du fermier avait cessé d'aboyer : on avait dû le détacher de sa laisse. Il faisait presque trop sombre pour distinguer la silhouette du téléphone, lui aussi attaché comme un animal à sa longe : le fil qui passait par l'interstice de la porte.

10 heures. Il jeta un coup d'œil sur sa mère. Elle ne ronflait plus, était allongée sur le dos, bouche ouverte.

Et si Drusilla ne téléphonait pas ? Si, pour se venger de lui, elle avait promis de s'occuper de la chienne et fait exprès de ne pas y aller ? Il pouvait la rappeler, lui, mais alors il faudrait faire vite car dans une demi-heure, ce serait trop risqué. Non, elle allait téléphoner. Elle ne changeait jamais d'avis et allait toujours jusqu'au bout de ce qu'elle avait entrepris.

Il se tint immobile au-dessus du téléphone, concentra toute sa volonté sur lui pour qu'il sonne, qu'il sonne. Il serra les poings, ses muscles se contractèrent.

— Sonne, salopard, sonne !

L'appareil obéit instantanément. Il sonna.

13

Quand il eut réussi à émerger du flot de français très « couleur locale » qui se déversait du combiné, et à faire comprendre à M. Reville, l'artisan verrier, que l'état de sa mère restait stationnaire et qu'Honoré était à l'*Ecu*, il se versa un peu de cognac et en but un peu. Honoré allait hériter de tout, il ne pourrait guère lui reprocher une goutte d'alcool.

Si elle ne téléphonait pas, il ne trouverait pas le sommeil. C'était ridicule, pourtant, parce que si elle n'était pas allée à la masure, Didon serait morte, à cette heure-ci, et il ne servait plus à rien de s'inquiéter. Honoré parti, il pouvait appeler à son aise. Il restait une bonne demi-heure avant le moment dangereux, celui du retour de Microbe. Ce serait la troisième fois, en comptant Marble Arch, et il n'y avait que le premier pas qui comptait.

Allons, il ne craignait plus de retomber amoureux d'elle ? Ou craignait-il de *ne pas* retomber amoureux d'elle ? Rappelle-toi ce qu'elle est, se dit-il, et rappelle-toi ce qu'elle voulait te faire faire...

— « Monsieur, Suite à votre annonce... ! » Mets la date, le 21 novembre. Oh ! je t'en prie, Gray. Lève-toi, alors, je vais le faire moi-même. Pas besoin d'être grand clerc pour taper à la machine, je suppose. La vache, on se gèle, ici. Quand il sera mort et qu'on sera ensemble pour de bon, on n'aura plus jamais froid. On aura un appart à Kensington, et si le chauffage central ne monte pas au moins à vingt-cinq, on le fera enlever et remplacer par un neuf.

— On ne sera jamais ensemble pour de bon, tu le sais bien. On va continuer comme ça jusqu'à ce qu'il y en ait un qui se fatigue de l'autre.

— Ça veut dire quoi, ça ? J'ai pas vu le moindre signe de fatigue, au pieu, tout à l'heure.

Il s'était détourné pour se réchauffer les mains sur le poêle à mazout en regardant d'un air las vers la fenêtre bordée de givre. Au-delà, les arbres squelettiques semblaient enracinés dans les flaques recouvertes d'une fine couche de glace. Elle avait jeté sur ses épaules son renard, au pelage d'un roux plus agressif que celui de ses cheveux.

— Il y a d'autres choses que le sexe dans la vie, dit-il.

— Quoi, par exemple ? Vivre dans un taudis où on se pèle ? Se lamenter sur les bouquins que t'écris pas et le pognon que t'arrives pas à gagner ? Je vais la faire, cette lettre, et au printemps — disons en mars — on pourrait habiter ensemble et avoir tout son fric déposé sur un compte joint. Zut ! j'ai les doigts trop froids pour taper. Fais-le, toi.

— Dru, tu viens de dire que tu ne voyais aucun signe de fatigue. C'est sûr, je ne me lasse pas de faire l'amour, et je crois que je ne m'en lasserai jamais avec toi. Mais j'en ai par-dessus la tête de t'entendre délirer pour tuer ton mari. C'est grotesque.

Elle avait abattu ses mains sur le clavier, si bien que les touches s'étaient emmêlées et bloquées en l'air. Ses yeux lançaient des éclairs.

— Qui, moi ? Moi, je suis grotesque ?

— J'ai pas dit ça, mais... oui, tu es grotesque,

débile et un peu fêlée quand tu parles de lui faire avoir un accident de bagnole, à ce pauvre mec.

— Salaud ! Fumier !

Il avait dû la repousser, lui maintenir les bras derrière le dos pour l'empêcher de lui lacérer le visage. Elle s'était radoucie, l'étole de fourrure était tombée de ses épaules, la laissant, vulnérable, dans l'étroite robe moulante si peu appropriée à la bicoque. Et là, évidemment, l'inévitable s'était produit. Parce que c'était Drusilla, parce que, nue, chaude et ondoyante sous l'amoncellement de couvertures, elle n'avait rien de grotesque, rien de débile...

Le film qui se déroulait dans son esprit s'interrompit tout net. Stop, arrête, rappelle-toi les mauvais moments. Oublie que les mauvais moments s'étaient toujours bien terminés — sauf la dernière fois. 10 h 20. Elle n'appellerait pas. Cette saleté de truc, au bout de sa laisse électrique, ne se manifesterait plus cette nuit.

Il se trouvait à mi-chemin du placard au cognac lorsque la sonnerie retentit, assourdissante. Il se rua sur le téléphone, s'accroupit.

— Oui, Dru, oui ? haleta-t-il.

— Salut, fit-elle.

La froideur de sa voix glaça les souvenirs, balaya tout sentiment de langueur ou de crainte.

— Alors, qu'est-ce qui s'est passé ? Tu l'as trouvée ?

— Oui, je l'ai trouvée. (Il y eut un long silence.) Mon Dieu, Gray, fit-elle avec une retenue dans le dégoût qui ne lui ressemblait pas. Mon Dieu, comment as-tu pu ?

— Elle est morte ?

Il était assis par terre, la tête appuyée contre le mur.

— Non, elle vivait encore — tout juste.

Il exhala un long soupir.

— Qu'est-ce qui s'est passé? demanda-t-il de nouveau.

— J'ai emporté du lait et du poulet. J'avais un peu la trouille d'ouvrir la porte de la cuisine, mais il n'y avait vraiment pas de quoi : elle était trop faible pour bouger, pauvre bête. Bon sang ! la puanteur et la saleté, là-dedans ! Elle avait grimpé sur l'évier et barbouillé la fenêtre d'excréments et de salive — je te dis pas le mélange.

— Oh ! Dru...

Sa tête avait commencé à cogner. En partie à cause du cognac, mais aussi du choc de l'émotion, malgré le soulagement qu'il aurait dû éprouver car c'était le meilleur dénouement possible.

— On devrait t'enfermer dans une cellule trois jours sans boire et sans manger, fit-elle sur un ton rude, on verrait ce que tu dirais. Pourquoi n'as-tu pas téléphoné à la police, d'abord?

Effectivement, pourquoi? C'était pourtant la première chose à faire.

— Je n'y ai pas pensé.

— Aujourd'hui non plus?

— Bien sûr que non.

— Tu m'as juste laissée me démerder, quoi? C'est bien de toi. Tu veux entendre la suite? Je l'ai portée dans la bagnole — tu parles d'un poids ! Là, je lui ai donné du lait, mais elle n'a pas pu bouffer le poulet. Après, je l'ai emmenée chez le véto.

— Lequel?

— Un mec à Leytonstone.

— A *Leytonstone*? Pourquoi diable...

— Parce que j'allais à Londres.

— Je vois, dit-il. (Elle laissait toujours sa voiture au parking de la station de métro de Leytonstone quand elle allait à Londres. Mais y être allée justement aujourd'hui, le moment paraissait vraiment mal choisi. Qu'avait-elle été y faire ? Acheter des fringues ? Ou... rencontrer quelqu'un ?) Tu as été à Londres ?

— Pourquoi pas ? C'est pas mon clébard, et je me suis dépêchée de le dire au véto : je voulais pas qu'il me croie capable de faire une chose pareille. Bon, je te file son adresse, que tu puisses passer le voir dès que tu rentreras : 21, George Street. T'as noté ?

— Oui, merci. Je te suis vraiment reconnaissant, Dru. J'aurais dû appeler la police, c'est sûr. J'aurais dû... (Il s'interrompit, cherchant les mots appropriés pour mettre fin à la conversation. Elle lui avait rendu le service qu'il lui avait demandé, et maintenant, il était temps de les faire, ces adieux solennels. Merci, sans rancune, peut-être qu'on se reverra un jour, en tout cas merci encore...) Bon, Dru, peut-être qu'après tout ce ramdam, on arrivera à se revoir, un de ces jours, etc. Bref, tu sais ce que je veux dire. Je n'oublierai jamais ce que tu... enfin, jamais...

— Quand je suis rentrée de Londres, poursuivit-elle comme s'il n'avait rien dit, je suis repassée à la bicoque et j'ai fait un peu de ménage.

— Du ménage ? (Il se souvint lui avoir dit, une fois, que la seule brosse qu'elle ait jamais maniée était celle de sa boîte de rimmel. Or, voilà que ces petites mains immaculées avaient astiqué sa porcherie de cuisine. Il n'arrivait pas à y croire.) Mais pourquoi ?

— Et pourquoi je suis allée chercher la chienne ? Ce que je fais pour toi, pourquoi est-ce que je le fais ? Tu ne le sais pas encore ?

Au revoir, Drusilla. Bonne nuit, douce amie, bonne nuit. Allez, dis-le, mais dis-le donc, souffla Don Juan. Une trémulation s'éleva dans sa gorge, l'étouffa, lui ôta le pouvoir de la parole. Il pressa sa joue contre le mur pour rafraîchir son visage brûlant.

— Tu ne sais pas, hein ? (Sa voix se fit caressante.) Mes sentiments à moi, tu n'y penses pas. Quand t'as besoin de quelqu'un pour te sortir du pétrin, là je suis bonne. Mais pour le reste, tu as tiré un trait.

— Et tu sais bien pourquoi j'ai tiré, murmura-t-il. (Il se raccrocha à un dernier lambeau de raison.) Il fallait qu'on se sépare, je ne pouvais plus le supporter.

— Ah ! tu parles de *ça* ? J'ai laissé tomber, ça n'aurait pas marché. Je m'en rends compte, maintenant. (Elle s'interrompit avant d'ajouter d'une toute petite voix d'enfant, presque comme à regret :) j'ai essayé de t'appeler un tas de fois.

Il sentit son cœur cogner dans sa poitrine.

— Les jeudis soir ?

— Bien sûr.

— Je laissais le combiné décroché.

— Grand imbécile, soupira-t-elle. Moi qui, depuis janvier, essayais de te dire que j'avais abandonné l'idée. Dieu que je me suis sentie seule, j'avais tellement envie de te parler. Et cette ligne, toujours occupée, toujours occupée... Je pensais que... Bref, peu importe.

— T'aurais pu venir me voir ?

— Pour te trouver avec une autre nénette ?

— Il n'y a pas eu d'autre nénette. Personne. J'étais seul, moi aussi.

— Eh bien, on a tous les deux été une paire de grands imbéciles, pas vrai ? Avoir la trouille l'un de l'autre, alors qu'en fait... Oh ! et puis à quoi bon ? Tu es en France, moi ici, et Microbe va rentrer d'une minute à l'autre. On ferait mieux d'en rester là avant d'en dire trop.

Il retrouva soudain toute la puissance de sa voix et hurla presque dans le téléphone.

— En dire trop ? Comment pourrait-on en dire

trop ? Tu ne comprends pas qu'on est restés séparés tout ce temps sur un malentendu ridicule ? On s'est torturés pour rien.

— Il faut que je raccroche. J'entends la voiture de Microbe.

— Non, je t'en supplie, ne raccroche pas. Enfin si, il faut bien. Ecoute, je te rappellerai demain matin à 9 heures, dès qu'il sera parti. Dru, si tu savais comme je suis heureux.

Un soupir l'interrompit.

— A demain, donc, chuchota-t-elle.

Un déclic, et le téléphone se coula délicatement dans le silence. Dans la chaleur sombre du hall, Gray resta assis par terre, tenant le combiné dans le berceau de ses mains. L'écho, le prolongement de la voix de Drusilla résonnait encore à son oreille. Les battements de son cœur s'apaisèrent, son corps se détendit comme un ressort trop longtemps comprimé. A mesure qu'il sentait le bonheur, la joie à l'état pur, le pénétrer, il eut envie de danser, de crier, de courir dehors et de chanter, d'embrasser les trépieds, de hurler à tout Bajon endormi qu'il avait retrouvé son amour.

Au lieu de quoi il se rendit dans la chambre de sa mère. Enid était toujours allongée sur le dos, la respiration brève, les yeux clos. Un jour où il n'avait pas eu grand-chose à raconter, il était parvenu à tout lui dire, et elle l'avait écouté et compris. Comprendrait-elle si elle était consciente maintenant, si elle avait tout son esprit ? Son expérience passionnelle ne la pousserait-elle pas à l'empathie ?

Il se pencha sur elle.

— Maman, je suis tellement heureux. Tout s'est arrangé, pour moi.

Il vit les paupières parcheminées et cernées de noir s'entrouvrir, découvrir les yeux à demi. Dans son euphorie, il imagina qu'elle le reconnaissait, le comprenait, même. En cet instant, il lui redonna tout son amour, lui pardonna. Il prit son visage dans ses mains, effleura de ses lèvres le coin de sa bouche, puis l'embrassa comme jamais il ne l'avait fait depuis qu'il n'était plus un petit garçon.

Mme Roland le dévisageait de son regard cynique : il la retourna contre le mur. Il en avait assez de l'entendre sortir son ânerie d'avant-décapitation sur la liberté. La liberté, il en avait eu sa dose, ces dix derniers mois. Sa liberté, il l'avait reprise pour éviter de commettre un crime, et maintenant il pensait en avoir commis un contre Drusilla et contre lui-même. Mme Roland, elle pouvait en faire ce qu'elle voulait, de sa philosophie de salon.

Il se coucha nu à cause de la chaleur. Combien de temps allait-il devoir rester ici ? Des jours ? Des semaines ? Des mois ? Si seulement il avait eu de l'argent, il aurait pu aller la voir en avion et puis revenir. Mais ce n'était pas possible. Comment supporter d'attendre, de se morfondre, elle en Angleterre et lui ici ? Quel dommage, songea-t-il, que les joies simples soient si brèves qu'elles doivent toujours s'effacer devant les détails pratiques. Demain matin, quand elle téléphonerait, ils seraient bien obligés de s'organiser. Il faudrait aussi qu'il appelle Jeff pour lui dire de ne pas passer samedi : peut-être ne déménagerait-il pas tout de suite, après tout.

Dans une quinzaine de jours, peut-être moins, elle passerait le voir à la bicoque, comme elle le faisait avant Noël. Ils parleraient de ces mois morts en riant de leur propre folie et ils ne se souviendraient plus de Noël que comme d'une banale prise de bec, d'un éphémère froncement de sourcils sur le visage de l'amour.

Dans l'atmosphère étouffante de la chambre, où pas un souffle ne venait soulever les rideaux de la fenêtre ouverte et où l'air restait chaud et sec à minuit, il était difficile d'imaginer la neige. Elle était pourtant tombée avant Noël et, la veille du réveillon, Drusilla, la dame au renard roux, l'avait bombardé de boules en riant tandis qu'ils se promenaient dans la forêt glacée. Il l'avait prise dans ses bras et, bouche contre bouche, des cristaux fondant sur leurs lèvres tièdes, ils s'étaient affalés parmi les congères et avaient fait l'amour sous les branches de hêtres luisantes comme des peaux de phoque.

C'était un bon souvenir, un souvenir auquel il pouvait se raccrocher, maintenant, un souvenir qu'il n'aurait pas osé évoquer avant ce soir, avant qu'elle ne lui soit revenue. Mais la dispute qui avait suivi ? Combien de fois, en se promettant que ce serait la dernière, avait-il passé et repassé dans son esprit le film de ce qui avait suivi leur acte d'amour final ? Eh bien il n'y aurait plus de dernière fois, à présent, ce film cesserait même d'être associé avec la querelle, et la querelle se perdrait dans les ruelles sombres du temps.

Il se retourna, bras et jambes écartés sous le drap. C'était un jeudi, bien sûr, il y avait exactement vingt-quatre semaines. La bicoque n'était pas décorée puisqu'il devait passer Noël à Londres avec Francis. Mais Dru lui avait offert son cadeau sur le couvercle de la baignoire, une chaînette en argent à laquelle pendait une Main de la Fortune (vendue depuis), dont il avait déchiré l'emballage rouge et or, plein d'amour et de gratitude. Il avait dû se fendre d'une grosse somme — beaucoup plus qu'il ne pouvait se permettre — pour lui acheter de l'*Amorce dangereuse*. Elle avait ri et en avait pulvérisé sur son renard rouge, ravie, bien qu'elle eût pu en acheter elle-même des litres.

Ils étaient rentrés à la bicoque pour qu'elle reprenne son parfum avant de rentrer à Combe Park. Il avait mis la chaînette pour sortir dans la forêt, et en avait senti le contact glacé contre sa poitrine. Mais à présent, sous sa chemise et sous son pull, le métal avait pris la chaleur du corps. C'était bien sûr l'argent de Microbe qui l'avait payée : son père à elle n'envoyait jamais de chèque plus d'une fois par an.

— Et alors ? avait-elle rétorqué. (C'est là que tout avait commencé. En fait, non, cela durait depuis longtemps, mais c'était le début de l'ultime dispute, le début de la fin.) J'ai droit à une partie de ce qu'il gagne, il me semble. Disons que c'est mes gages. Est-ce que je ne tiens pas la maison, est-ce que je ne fais pas à manger, est-ce que je ne dors pas avec lui ? Il me donne que deux mille livres par an, je suis vraiment bon marché.

— *Deux mille ?*

Une année, il était presque arrivé à en gagner autant, mais ç'avait été la seule fois.

— Allons, je t'en prie, Gray. Cinq livres pour un petit truc qu'on se met au cou, tu parles ! C'est d'ailleurs qu'une avance, puisque tout sera bientôt à nous.

— Ne reviens pas là-dessus, Dru. Je t'en supplie.

— Ne reviens pas là-dessus non plus, se dit-il en prenant le verre d'eau qu'il avait placé à côté du lit. Pourquoi repenser à cette vieille dispute ? Elle avait dit qu'elle avait laissé tomber, alors il ne l'entendrait plus jamais reparler de ces choses.

— Ecoute-moi, Gray. Assieds-toi et écoute. Tu savais depuis le début que je ne plaisantais pas, et tu as été aussi sérieux que moi. Seulement toi, t'as pas de tripes.

— N'essaie pas de jouer les Lady Macbeth, Drusilla.

— Eh bien lui, il a fini par le faire, non ? Alors toi aussi. On va écrire une autre lettre, et tu profiteras que tu montes à Londres pour acheter l'acide.

— « Monter » à Londres : on dirait la présidente de l'Association féminine qui s'apprête à faire sa virée annuelle d'achats.

Elle était plus sensible à ce genre de pique qu'à toute autre, mais elle ne releva pas.

— Je te filerai le pognon.

— Trop aimable. Comme ça, le pauvre mec, il va en plus payer son poison, hein ? J'adore, c'est digne des Borgia. Et le juge en fera ses choux gras : « Le malheureux Harvey Janus assassiné par sa femme et son amant avec un hallucinogène acheté sur ses propres deniers. » Charmant.

De petites gouttes d'eau luisant sur les poils hérissés de sa fourrure rousse, elle s'installa devant la machine à écrire pour rédiger une autre lettre. La flamme bleue du poêle à mazout brûlait, les flocons de neige tombaient en rangs serrés, silencieusement, contre les vitres crasseuses.

— Dru, vas-tu une bonne fois pour toutes abandonner cette idée ? Peux-tu me promettre de ne jamais plus en reparler ?

— Non, et c'est pour toi que je le fais. Tu me remercieras, plus tard.

10 h 10, à la montre qu'elle lui avait offerte. Chaude sur sa poitrine, la Main de la Fortune qu'elle lui avait offerte. Par terre, de petites flaques de neige fondue.

— Pas la peine, Gray. Je ne laisserai jamais tomber.

— Tu préfères me laisser tomber moi, alors ?

Elle était en train de plier la lettre et de la glisser dans une enveloppe.

— Qu'est-ce que tu veux dire, exactement ?

— Que je ne peux pas continuer comme ça. Avec

toi, quoi qu'on fasse, quoi qu'on dise, on en revient toujours à tuer Microbe.

— Tu as un moyen d'y mettre fin : le tuer.

— Il y en a un autre. (Il détourna son regard.) Je peux y mettre fin en arrêtant de te voir.

— T'en as marre de moi, c'est ça ?

— Non, aucun homme ne pourrait en avoir marre de toi. Mais de *ça*, oui, j'ai eu ma dose, Drusilla. J'en suis au point de ne même plus pouvoir penser à ce qu'on a vécu tous les deux sans que ça vienne tout empoisonner.

— T'es qu'un lamentable trouillard.

— C'est vrai, je suis trop trouillard pour tuer quelqu'un, trop trouillard pour rester ton amant. Tu es trop, pour moi. Je suis désolé que ça se termine comme ça, mais je savais que ça arriverait, je le sais depuis des semaines. Je ne te reverrai plus, Dru.

— Espèce de salaud, je te déteste. Tiens ! voilà ce que j'en fais, de ta saleté de cadeau de Noël ! (La petite bouteille ventrue se brisa contre le poêle. Des éclats de verre jaillirent partout, une buée odorante s'éleva.) J'allais faire de toi un homme riche, j'allais te donner tout ce que tu voulais.

Il fut pris de nausée. A cause du parfum.

— Au revoir, Drusilla. C'était très chouette — avant. Je n'avais jamais rien vécu de pareil.

— Sale menteur ! Sale ingrat de menteur !

Au revoir, Drusilla, bonne nuit, belle et douce amie, bonne nuit, bonne nuit...

— Bonne nuit, Drusilla, prononça-t-il tout fort. Bonne nuit, mon amour.

Il sombra aussitôt dans un rêve. Il était avec Microbe dans la voiture rouge. Il n'avait pas beaucoup de place parce que Microbe, immense, occupait la moitié du siège du passager en plus du sien. Il conduisait à toute allure et zigzaguait d'un bord à l'autre de la route forestière. Gray essaya de le faire ralentir, mais aucun son ne sortit de sa gorge lorsqu'il voulut parler. Il chercha alors sa langue avec ses doigts, la trouva — ô horreur — divisée et fourchue comme une langue de serpent, muette, incapable de parole, inhumaine. Le monticule du rond-point arrivait sur eux, vert mais coiffé d'une calotte de neige, et Microbe fonçait, passait par-dessus avec la voiture rouge. Lui, Gray, se trouvait aussi coincé dans le bolide en feu, happé par les flammes pendant qu'il cherchait à se dégager. Ce n'était pas un sauveteur, mais elle, Drusilla, qui frappait du poing sur le toit de la Bentley rouge pour s'assurer qu'ils étaient bien morts tous les deux...

— Arrête, arrête, haleta-t-il, je n'en peux plus. Je veux que tu me laisses. (Puis, tandis que le rêve, les flammes et la neige s'estompaient, que revenaient les odeurs, la lumière, l'air étouffant de Bajon :) Que... Qui est-ce ? Qu'est-ce qu'il y a ?

Il faisait grand jour, dans la chambre, et on frappait à la porte. Il s'enveloppa du drap tout tortillé, se dirigea d'un pas chancelant vers la porte et ouvrit. C'était Honoré, dans sa robe de chambre au dragon, le visage blême, les traits tirés.

— Qu'est-ce que...

— C'est fini.

— Je ne... Je dormais.

— C'est fini. Elle est morte.

— Non, elle ne peut être morte, articula-t-il stupidement, ça ne peut pas être fini, ça ne fait que commencer...

Il comprit alors qu'Honoré parlait de sa mère, qu'Enid Duval était enfin décédée.

14

— Tu viens la voir ? demanda Honoré d'une petite voix fluette.

— D'accord. Si vous voulez.

La peau d'Enid avait perdu son teint jaunâtre et la mort avait effacé la plupart de ses rides. Son visage ressemblait déjà à un masque de cire, ses yeux ouverts à des globes de porcelaine bleue.

— Vous devriez lui fermer les paupières, commença Gray. (Il regarda Honoré qui se tenait de l'autre côté du lit, silencieux, abattu. Des larmes coulaient doucement le long de ses joues.) Honoré, est-ce que ça va ?

Il ne répondit pas. Il s'affala en travers du lit, prit la morte dans ses bras et resta allongé, agrippé à elle, poussant des petits gémissements d'animal.

— Honoré...

Gray le releva avec douceur et le soutint jusqu'à un fauteuil du salon où il se laissa choir, tremblant, la tête inclinée sur le revers de sa robe de chambre. Gray lui donna du cognac, mais il s'étouffa dessus en sanglotant.

— Qu'est-ce que je vais faire ? Qu'est-ce que je vais devenir ?

Gray comprit qu'il s'était trompé, que son beau-père avait vraiment aimé sa mère. Les sentiments n'avaient pas été que du côté d'Enid mais réciproques, pas intéressés mais sincères. Et cette haine, ce dégoût qu'il avait lus dans les yeux d'Honoré quand il la nourrissait, n'importe quel homme ne l'aurait-il pas ressenti ? Un dégoût non pas d'elle, mais de la vie, du monde dans lequel de telles choses se produisaient, du monde qui réduisait la femme qu'il aimait à l'état d'animal désemparé et baveur. Il l'avait aimée, Honoré n'était donc pas une caricature, un sinistre plaisantin, mais un homme avec des sentiments d'homme. Gray oublia tout son ressentiment, toute son antipathie envers Honoré. Il se sentit soudain honteux de s'être moqué de lui, de l'avoir méprisé. Il oublia aussi, juste un instant, qu'il n'était pas son fils et — bien qu'il n'eût jamais tenu un homme de cette façon — il prit Honoré dans ses bras, le pressa contre lui, oublia tout pour partager son chagrin.

— Mon fils, mon fils, qu'est-ce que je vais faire, sans elle ? Je savais bien qu'elle allait mourir, que c'était inévitable, mais la mort...

— Je sais. Je comprends.

— Je l'aimais tant. Je n'ai jamais aimé une femme autant qu'elle.

— Je sais que vous l'avez aimée, Honoré.

Gray fit du café, appela le médecin et, quand il fut 9 heures et que la boutique de Marseille où elle travaillait serait ouverte, il téléphona à la sœur d'Honoré. Mme Derain accepta de venir. Un accent chantant et une volée de voyelles nasalisées se déversèrent à travers une ligne pleine de friture, mais il comprit néanmoins qu'elle arriverait le lundi, lorsqu'elle se serait arrangée avec son employeur.

La journée s'annonçait lourde et oppressante quoique plus fraîche, le soleil étant voilé par des nuages. Le médecin accourut, puis le Père Normand et enfin une vieille femme, une petite vieille typiquement française, sortie tout droit d'un roman de Zola et dont la tâche était de faire la toilette mortuaire d'Enid Duval. Gray, qui avait toujours été traité dans cette maison comme un gamin de quinze ans récalcitrant et qui était resté tel dans l'esprit d'Honoré, se trouva investi de toutes les responsabilités. Ce fut lui qui reçut le maire, puis M. et Mme Reville, qui discuta avec les pompes funèbres, prépara les repas, qui répondit au téléphone. Honoré, brisé, restait étendu sur le sofa, sanglotait par intermittence et l'appelait parfois, le suppliant de ne pas l'abandonner. Son anglais, dont il était si fier et qu'il avait si souvent utilisé pour défier son beau-fils et lui montrer son autorité, l'avait déserté. Il ne parlait plus que sa langue et avait abandonné les traits du bouffon pour ceux, dignes, du mari affligé qui commandaient le respect. Gray, à qui son beau-père apparaissait complètement différent, réalisa qu'il ne l'avait jamais vraiment connu.

— Tu vas rester avec moi, hein, mon fils? Maintenant qu'elle est partie, tu es tout ce qui me reste.

— Vous avez votre sœur, Honoré.

— Oh! ma sœur... Ça fait quarante ans qu'on n'a pas vécu sous le même toit, alors elle ne représente plus grand-chose pour moi. Je veux que tu restes, Grahamme. Pourquoi pas? T'aurais une maison, ici.

— Je resterai jusqu'à l'enterrement, promit Gray.

Il fut surpris par l'intensité de son propre chagrin. Même lorsqu'il avait rendu son amour et donné son pardon à sa mère, la nuit passée, il n'aurait jamais cru que cette mort l'affecterait. Mais — sentiment tout à fait irrationnel — il se sentit accablé, tandis qu'il vaquait aux mille et une tâches qui s'imposaient. Il s'aperçut que, durant toutes ces années, un espoir avait subsisté au fond de son esprit, celui qu'un jour, ils pourraient, elle et lui, se parler à cœur ouvert, se confier l'un à l'autre, s'expliquer, et que cette explication mettrait un terme à leur peine. Mais elle était morte, à présent, et il la pleurait parce que ce jour ne viendrait jamais. Jamais il ne pourrait lui dire combien elle lui avait fait mal, et jamais elle ne pourrait lui dire pourquoi.

Drusilla était bien loin. Il n'avait pas oublié qu'il devait appeler, mais il le ferait plus tard dans la journée, quand le téléphone aurait cessé de sonner et qu'il aurait écrit les lettres qu'Honoré lui avait demandé d'envoyer en Angleterre. Alors...

— A Mme Arcourre, à Mme Ouarrinaire et à notre chère Isabel.

— Isabel est en Australie, Honoré. Et je serai rentré en Angleterre avant elle.

— Change d'avis et reste ici avec moi.

— Je ne peux pas, mais je resterai aussi longtemps que vous aurez besoin de moi.

Il alla poster ses lettres. La pluie s'était mise à tomber. De gros camions, qui se dirigeaient sur Jency, lui éclaboussèrent les jambes d'eau boueuse. L'enterrement avait été fixé au lundi, si bien qu'il pourrait rentrer le mardi et peut-être voir Drusilla le soir même. Il se faisait un peu tard pour lui téléphoner maintenant, à près de 5 heures et demie, et le week-end était là : il serait sans doute préférable d'attendre lundi. Elle comprendrait, quand elle saurait, pour sa mère. Comprendrait-elle, au fait ? Et ne repoussait-il pas son appel pour une autre raison, la trouille d'entendre une de ses inévitables vacheries, du genre : « Ça y est, elle a enfin clamsé, ta vieille ? » ou bien : « Elle t'a laissé quelque chose ? » Il n'était pas vraiment d'humeur à le supporter en ce moment, même venant de sa petite Dru qu'il aimait, de sa petite Dru qui avait changé et qui allait être sienne pour toujours.

Il entendit la sonnerie du téléphone avant même d'être dans la maison. Encore des condoléances d'un voisin, pensa-t-il. Honoré n'était pas en état de répondre, aussi se précipita-t-il dans la chambre où se trouvait l'appareil, sans un regard pour le lit vide dont le dessus bleu était tiré à plat sur le matelas nu. La fenêtre était ouverte pour laisser l'air chargé de pluie entrer et balayer l'odeur de la mort. Il décrocha.

— Salut.

— Dru ? fit-il comme si cela pouvait être quelqu'un d'autre. Dru, c'est toi ?

— Tu ne m'as pas appelée, dit-elle d'une voix qui semblait porter toute la misère du monde.

— Non. (Ce ton devait paraître un peu sec, mais il n'y pouvait rien : il se préparait à la vacherie attendue.) Non, je n'ai pas pu. Maman est morte ce matin, Dru.

De vacherie, point. Le silence. Puis, comme si elle avait reçu un choc, presque comme si la défunte avait été une de ses proches ou un être cher, elle s'exclama : « Oh, *non* ! »

Il fut ému, réconforté par la consternation qu'il entendit dans sa voix. Toute la journée, étrangement, alors pourtant que leur histoire d'amour était sur le point de reprendre, elle lui avait paru moins présente, plus éloignée que jamais depuis Noël, presque — il pouvait se l'avouer maintenant — un fardeau, un problème supplémentaire à gérer. Mais ce « Oh, *non* ! » horrifié, plus lourd de sentiment et de compassion que toutes les condoléances du monde, lui alla droit au cœur.

— Hélas si, Dru, fit-il d'une voix tremblante

d'émotion. C'est très dur pour mon beau-père, et moi...

— Alors tu ne vas pas pouvoir rentrer tout de suite ! gémit-elle d'un ton consterné, désespéré. Je l'entends à ta façon de parler, tu vas rester pour l'enterrement !

C'était merveilleux, bien sûr, de se sentir à ce point désiré. Mais il aurait été encore plus heureux si cette compassion avait été simple, sans arrière-pensée. Déjà beau, pourtant, qu'elle eût fait montre d'une quelconque sympathie...

— Je suis obligé, Dru chérie, dit-il. Essaie de comprendre. Honoré a besoin de moi jusqu'à ce que sa sœur arrive. J'ai promis de rester jusqu'à mardi.

— Mais moi aussi, j'ai besoin de toi ! cria-t-elle d'une voix d'enfant despotique dont les désirs doivent toujours primer sur tout.

— Et moi, alors, tu ne crois pas que c'est pareil ? Mais on a attendu six mois, alors on peut bien attendre quatre jours de plus. Tu dois bien comprendre que les choses sont un peu bouleversées.

Mon Dieu, pourvu qu'elle n'en fasse pas un problème, pas de scène, pas *maintenant*. Son bonheur de la retrouver était encore trop tendre pour affronter des tempêtes. Ce bonheur, il fallait lui éviter toute turbulence, au contraire, préserver sa pureté comme celle d'un talisman pendant les quelques jours à venir. Le garder en lui comme un doux refuge pour les moments où la douleur du deuil deviendrait trop vive, les tâches domestiques trop exaspérantes. Il écouta son silence qui semblait lourd de menaces, réprobateur, irrité, hostile.

— Dru, ne me demande pas de manquer à ma promesse.

Il redoutait de l'entendre raccrocher, brusquement, avec colère. Mais non, nul mouvement d'humeur, nul éclat. Juste une voix sèche, lorsqu'elle rompit le silence, aussi glaciale que jeudi matin.

— Désolée mais il va falloir, pourtant. Je ne t'ai pas encore dit pourquoi j'appelais.

— A-t-on jamais eu besoin de se donner des raisons ?

— Non, mais il se trouve qu'il y en a une, cette fois. Le véto veut te voir.

— Le véto ? répéta-t-il, ahuri.

— Oui, le *vétérinaire*. Tu te souviens ?

Didon. Il ne l'avait pas oubliée, mais il s'était imaginé qu'une fois sortie de la bicoque, nourrie et soignée, tout serait arrangé.

— Pourquoi veut-il me voir ?

— Je l'ai appelé pour avoir des nouvelles. Il a dit que la chienne avait un truc au foie, quelque chose de grave, et qu'elle était dans un sale état. Il veut parler au maître de la bête, ou à quelqu'un qui le représente, avant d'opérer. Gray, tu ne peux pas me laisser ça sur les bras. C'est à toi d'en prendre la responsabilité, tu ne crois pas ?

Gray s'assit lourdement sur le lit d'Honoré. Il se rappelait Didon telle qu'il l'avait vue pour la dernière fois, si vigoureuse, pleine de vie, respirant la santé. Penser qu'il avait détruit tout cela par négligence le rendait malade.

— Comment peut-elle avoir quelque chose au foie ? dit-il. Qu'elle souffre de malnutrition, je pourrais comprendre. Mais du foie ? Et qu'est-ce que je peux faire ? Qu'est-ce que ça changera, que je rentre ?

— Il veut te voir demain, insista-t-elle. Gray, je lui ai dit que tu viendrais. C'est quand même pas la mer à boire, de venir à Londres. Microbe fait souvent Paris aller et retour dans la journée.

— Mais, Dru, tu ne vois pas que c'est complètement extravagant ? Dis-lui d'opérer, de faire tout ce qu'il faut pour sauver la chienne. Je paierai. Je me débrouillerai pour emprunter le fric et je paierai.

— Tu paieras, mais tu ne veux pas revenir t'en occuper personnellement ? Même si je te promets de te retrouver à la bicoque après ?

Sa main se crispa sur le combiné, un long frisson presque douloureux lui parcourut le corps. Voyons, c'était impossible...

— J'ai pas les ronds pour me balader comme ça en avion. Il doit me rester trois livres en tout et pour tout.

— Je te paierai ton billet. Non, ne me dis pas que tu ne veux pas de l'argent de Microbe, parce que ce ne sera pas avec le sien : j'ai vendu ma bague en améthyste. Et c'était pas un cadeau de lui, mais de mon père.

— Dru, je ne sais pas ce que...

— J'ai dit au véto que tu serais là vers les 3 heures. Alors va demander à ton beau-père si tu peux le quitter pour un jour, je reste en ligne.

La bouche sèche, il posa le combiné sur l'oreiller et se rendit au salon.

— Honoré, il faut que j'aille à la maison demain. Je partirai le matin et serai de retour le soir.

Une discussion aigre, qui n'avait rien de bouffon, s'ensuivit. Pourquoi devait-il partir ? D'où lui venait l'argent ? Comment Honoré allait-il faire, tout seul ? Enfin, pourquoi Gray ne prenait-il pas un travail, ne cherchait-il pas à s'installer — en France, ce serait mieux —, à se marier et à oublier les mauvaises femmes anglaises qui aimaient plus les animaux que les gens ?

— Je promets d'être de retour à minuit et de rester jusqu'après l'enterrement. Vos amis seront avec vous.

Je vais demander à Mme Reville de venir vous tenir compagnie toute la journée.

Gray le quitta, déchiré de le voir se remettre à pleurer. Il reprit le combiné.

— C'est bon, Dru. Je viendrai.

— Je savais que tu le ferais ! Mon Dieu, je n'arrive pas à y croire ! Je vais te revoir demain ! Je vais te revoir !

— Il faut d'abord que je passe chez ce véto, et ça ne sera pas une partie de plaisir. Alors explique-moi, pour le chien.

— Ecoute, tu as l'adresse. Vas-y à 3 heures et vois ça avec lui.

— Et toi ? Je te retrouve quand et où ?

— Si encore on était en semaine, fit-elle, je pourrais venir à l'aéroport. Mais ce n'est pas possible, un samedi. Microbe doit visiter dans l'après-midi une maison qu'il veut acheter pour sa mère. Je vais me dégager de ça et te verrai à la bicoque à 5 heures. D'accord ?

— Tu ne... Tu ne pourrais pas me retrouver chez le véto ?

— J'essaierai, mais n'y compte pas trop. Je devrais pouvoir te raccompagner à Heathrow, par contre.

— Mais on aura... (Il ne parvenait pas à trouver les mots exacts, les mots qui lui feraient comprendre.) On aura quand même un peu de temps ensemble ?

Elle avait compris. Elle répondit par un petit rire étouffé.

— Tu me connais, dit-elle.

— Ah ! Dru, comme je t'aime ! Je ferais des milliers de kilomètres pour te rejoindre. Dis-moi que tu m'aimes, et que tout ce qui s'est passé est effacé.

Il retint son souffle, écouta son silence. Un long silence. Il l'entendait respirer de la même façon haletante que lui quand il l'avait appelée de Marble Arch. Elle répondit soudain, avec calme et fermeté.

— Oui, je t'aime. J'ai décidé que, si tu voulais toujours de moi, je quitterais Microbe et je viendrais vivre avec toi.

— Ma chérie...

— On en reparlera demain, dit-elle.

Clac, le téléphone fut raccroché et il se retrouva les doigts refermés sur le vide, savourant la plénitude de son cœur, osant à peine croire ce qu'elle avait dit. Mais elle l'avait dit, oh ! oui. Et il allait la voir demain.

Au bout du long chemin forestier, elle l'attendrait. Il courrait vers elle. Il entrerait par la porte de devant, serait accueilli par une grande bouffée d'*Amorce dangereuse*, et elle se précipiterait sur lui, bras ouverts, ses cheveux comme une gerbe dorée, sa main blanche dépouillée de la bague qu'elle avait vendue pour le ramener à elle...

Honoré avait cessé de pleurer mais paraissait très triste.

— J'ai pensé, tu devrais prendre la voiture. Si, si, j'insiste. C'est le meilleur moyen pour que tu reviennes plus vite.

— Merci, Honoré, c'est très gentil.

— Seulement n'oublie pas qu'en France, on conduit du *bon* côté de la route, et...

— Je ferai très attention à votre voiture.

— Seigneur ! c'est pas à la voiture que je pense, mais à toi. Tu es la seule personne qui me reste, mon fils.

Gray sourit, lui posa la main sur l'épaule. Oui, il devait cesser de ne voir que le pire chez les gens, cesser de leur attribuer des intentions égoïstes et intéressées. Il devait essayer de croire au pouvoir de l'amour. Drusilla aurait tué par amour, elle quittait Microbe par amour, tout comme lui, Gray, abandonnait Honoré par amour. O amour, que de crimes on commet en ton nom...

— Si on se prenait un petit verre de cognac? fit Honoré.

15

L'avion arriva à Heathrow à 1 heure et quart. Gray acheta un plan de Londres, ce qui lui laissa tout juste assez d'argent pour son ticket de métro jusqu'à Leytonstone et son billet de train jusqu'à Waltham Abbey. A 3 heures moins 10, il était à la station de Leytonstone, l'un de ces arrêts blafards, désertiques, ingrats, qui foisonnent sur les ramifications extérieures des lignes du métro.

Drusilla n'avait pas parlé de le rencontrer là, aussi ne l'y attendait-il pas, mais il ne put s'empêcher de jeter un coup d'œil en direction des voitures garées le long du trottoir avec le secret espoir d'y trouver la Type E. Elle n'y était pas, bien sûr. Il songea au nombre de fois où Drusilla avait foulé cet endroit précis du macadam, emprunté cette bouche de métro pour aller à Londres. Puis, son guide à la main, il commença à descendre la longue rue aux grosses maisons victoriennes.

Parcourant méthodiquement les voies transversales qui sillonnent la zone délimitée par la route de la gare et la dernière langue de la forêt d'Epping, il finit par trouver George Street, une rue bordée de maisons respectables et dominée par les lignes gothiques d'un énorme hôpital. Aucune plaque en cuivre n'indiquait, au numéro 21, la présence d'un vétérinaire, mais il monta les escaliers et sonna. Comme il s'attendait à voir à tout moment la porte s'ouvrir et un vieux bonhomme agressif vêtu d'une blouse blanche lui tomber dessus en brandissant des menaces de dénonciations à la S.P.A., Gray prépara mentalement sa défense. Mais lorsque, après deux coups de sonnette supplémentaires, la porte s'ouvrit, nulle odeur de chien et de désinfectant, pas de vieux véto pour l'écharper en paroles. A la place, les effluves d'un gâteau au four et une jeune femme qui tenait un bébé.

— J'ai rendez-vous avec le vétérinaire à 3 heures.

— Quel vétérinaire ? s'étonna la fille.

— Il n'y a pas un vétérinaire qui a son... (Comment appelait-on ça, déjà ?)... son cabinet, ici ?

— Ah ! c'est sans doute celui qu'il y a en haut de la rue. Je me rappelle pas le numéro, mais c'est du même côté. Vous verrez le nom sur la porte.

Drusilla avait pourtant bien dit au 21 ! Peut-être pas, après tout : il n'avait pas pris note et pouvait fort bien avoir confondu avec le 49, qui était le numéro de la maison où se trouvait la plaque du vétérinaire. Coutumier de ce genre d'étourderie, il ne s'en étonnait plus. Ces trous de mémoire étaient dus, pensait-il, à des blocages psychologiques, à des remparts érigés par son subconscient qui allaient bientôt disparaître, à présent. Les choses vraiment importantes ne lui sortaient pas de l'esprit. Son rendez-vous de 5 heures avec Drusilla, par exemple, rien n'aurait pu le lui faire oublier.

L'odeur de chien était bien là, épaisse, écœurante. La porte n'étant pas verrouillée, il était entré sans sonner. Debout dans la salle d'attente, il feuilletait *La campagne* et *Nos chiens* et hésitait sur la façon correcte de procéder lorsqu'une femme en blouse kaki entra et lui demanda ce qu'il désirait.

— Mr Greenberg ne consulte pas le samedi après-midi, dit-elle sèchement. Nous ne sommes ouverts que pour la tonte et le toilettage.

Couinement et grognements lointains indiquaient qu'on s'y activait.

— Je suis Gray Lanceton, fit-il sur un ton hésitant, s'attendant à voir passer une expression de haine et de dégoût sur son visage lorsqu'elle réaliserait qu'elle se trouvait en présence d'un bourreau des bêtes. Ma chienne — enfin, une chienne que je gardais — est chez vous. (Elle resta de marbre et continua simplement de le dévisager.) Un labrador jaune qui s'appelle Didon. Elle a été confiée à Mr. euh... Greenberg jeudi dernier.

— Confiée ? Nous ne faisons pas pension pour chiens.

— Non, mais elle était malade et on l'a amenée ici. Elle devait être opérée.

— Je vais vérifier, fit Kaki Blouse.

Elle revint après un long moment, plus de cinq minutes.

— Nous n'avons pas trace de ce que vous dites. A quelle heure, jeudi ?

— Aux alentours de midi.

— Ah ! s'écria Kaki Blouse d'un air triomphant, Mr Greenberg est justement parti jeudi à midi.

— Est-ce que vous pourriez l'appeler ?

— Oui, je pourrais, mais ça va le déranger. Et puis ça ne servira à rien puisqu'il n'était pas là.

— Je vous en prie, insista Gray.

Il s'assit et feuilleta *La campagne*. 3 heures 25. Il faudrait partir d'ici dans cinq minutes s'il voulait être à la bicoque à 5 heures. Il l'entendait parler au téléphone dans une autre pièce. Se serait-il trompé de rue en même temps que de numéro ? Elle revint enfin, l'air exaspérée.

— Mr Greenberg n'est pas au courant.

Il fallait se rendre à l'évidence. Il ressortit dans la rue, complètement désemparé. La Type E n'était pas là : Drusilla n'avait pas pu venir. A moins qu'elle ne l'attende, en ce moment même, garée devant une autre maison, chez un autre vétérinaire dans une autre rue ? Des vétos, il devait y en avoir des douzaines, à Leytonstone. Bon, peut-être pas des douzaines, mais plusieurs. Tandis qu'il rebroussait chemin, il eut l'impression de vivre un de ces cauchemars où l'on est déjà en retard pour une réunion ou un rendez-vous urgent et où tout va mal. Les transports n'avancent pas, les gens râlent, les adresses sont fausses et les choses les plus simples deviennent d'horribles casse-tête.

Le mieux était d'essayer de joindre Drusilla au téléphone. Microbe parti à la recherche d'une maison, elle serait peut-être restée seule. Il composa le numéro mais n'obtint pas de réponse. Il consulta alors la rubrique des vétérinaires dans les pages jaunes et comprit immédiatement son erreur, le genre de confusion qui peut se produire lorsque deux communes de banlieue contiguës ont des noms très voisins : Greenberg était vétérinaire au 49 George Street, à Leytonstone, et Cherwell au 21 George Street, à Leyton. Didon était à Leyton, pas à Leyton*stone*.

4 heures moins 20. Bon, il était venu pour la chienne, n'est-ce pas ? C'était le véritable but de son voyage, il ne pouvait donc pas abandonner simplement parce que le temps passait. Pourtant, même en partant tout de suite, il n'arriverait pas à la bicoque avant 5 heures et quart. Il sentit peser sur lui cette oppression génératrice de panique qui s'empare de

nous lorsque nous savons que nous allons manquer un rendez-vous capital et longtemps attendu : l'air semble se brouiller, nos pas devenir pesants, les gens et les choses se liguer contre nous.

Il ouvrit son index des rues. George Street, à Leyton, paraissait au diable vauvert, du côté des Marais de Hackney. Sans même savoir comment y aller, il comprit qu'il faudrait au moins une demi-heure. Hors de question : Drusilla était peut-être déjà en train de se parer pour lui, de se parfumer, de surveiller la pendule. Il se contenta donc de composer le numéro de Cherwell. En vain, pas de réponse. Les vétérinaires, de toute évidence, n'aimaient pas travailler tard le samedi après-midi.

Mais la chienne ?... Ce Cherwell saurait bien prendre les initiatives voulues, quand même ? Et opérer avec ou sans consentement si nécessaire ? Tout ce que lui, Gray, pouvait faire serait de l'appeler de France lundi matin à la première heure. Alors maintenant que cette affaire était classée, il n'y avait plus de temps à perdre : direction Liverpool Street, en vitesse.

Il devait sûrement y avoir un moyen plus rapide de couvrir cette douzaine de kilomètres à travers la forêt que de revenir jusqu'à Londres pour repartir par les lignes tentaculaires de la banlieue nord. Le bus, sans doute, mais il n'en connaissait ni les itinéraires ni les arrêts. S'il avait eu de l'argent, il aurait pu prendre un taxi. Là, il avait tout juste de quoi acheter son billet de train.

Le métro semblait rouler au ralenti, et il dut attendre un quart d'heure une rame pour Waltham Cross. Lorsqu'elle arriva enfin et qu'il fut monté, sa montre, qu'il n'avait cessé de régler sur les pendules de station pour être sûr qu'elle n'avançait pas, indiquait 5 heures moins 25.

Elle n'avait été en retard à un rendez-vous avec lui qu'une seule fois : lors de leur première rencontre à New Quebec Street. Mais aujourd'hui, non : elle l'attendrait depuis une demi-heure, gagnée peut-être de perplexité et d'angoisse, ferait les cent pas dans la bicoque, courrait à la fenêtre, ouvrirait la porte d'entrée pour scruter le chemin. Puis, ne le voyant toujours pas arriver, elle se dirait bon, je vais arrêter de regarder, compter jusqu'à cent, et il sera là. Ou alors elle monterait dans la chambre, d'où le chemin était invisible, se contemplerait une fois encore dans le miroir, repasserait le peigne dans l'embrasement de ses mèches folles, rajouterait une touche de parfum au creux de son cou, ferait glisser ses mains — sensuel avant-goût — le long de ce corps qu'elle avait préparé pour lui. Elle compterait encore cent, descendrait lentement l'escalier, se dirigerait vers la fenêtre, soulèverait le rideau, fermerait les yeux. Quand je les rouvrirai, il sera là, il arrivera...

A 5 heures et demie, il était à Waltham Abbey. Il y avait eu un accident à l'embranchement de Pocket Lane. Panneaux et voitures de police étaient encore sur place. Au milieu de la route, des traces de pneus convergeaient vers une nappe de sable peut-être répandu pour recouvrir du sang et de l'horreur. Il ne s'arrêta pas pour regarder, pressa l'allure : un type de son âge devait être capable de couvrir trois kilomètres et demi en vingt minutes.

Il courut sur la dure surface empierrée, évitant les bas-côtés mous et herbeux. Jamais Pocket Lane ne lui avait paru aussi interminable. Son ruban, dont il connaissait si bien les méandres et les lignes droites, semblait s'allonger comme un élastique que quelque géant malveillant s'amuserait à tirer pour l'embêter. Le sang battait à ses tempes, sa gorge était desséchée lorsqu'il parvint à l'endroit où le revêtement s'arrêtait pour laisser place à la terre argileuse.

Sous les arbres où la Jaguar aurait dû se trouver, il vit une grosse Mercedes vert foncé. Tiens ! elle avait changé de voiture. Microbe lui en avait acheté une neuve. Gray était las de courir, mais la vue de *sa* voiture lui donna un nouvel élan et il continua, le pantalon tout éclaboussé d'une boue jaunâtre. La pluie qui était tombée de l'autre côté de la Manche était venue jusqu'ici, rendant l'argile presque liquide au fond des ornières. Cette dernière ligne droite, comme elle lui avait semblé courte, les nuits où il la raccompagnait à la voiture ! Elle n'en finissait pas, elle devait faire des centaines de mètres, au moins. Il aperçut enfin la silhouette blafarde de la bicoque, aussi blanche que le voile de nuages qui obstruait le ciel. Le portail ouvert oscillait sous la petite brise qui donnait le frisson aux millions de feuilles alentour. Il s'y arrêta un moment pour reprendre son souffle. La sueur lui dégoulinait sur le visage, il était hors d'haleine, mais il l'avait fait : juste en dessous des vingt minutes.

Il tourna la clé de la porte d'entrée et appela avant même d'être à l'intérieur.

— Dru, Dru, je suis désolé d'arriver si tard. J'ai couru tout le long du chemin depuis la gare. (La porte se referma derrière lui.) Dru, tu es en haut ?

Aucun bruit. Pas de réponse. Mais il crut discerner une légère senteur d'*Amorce dangereuse*. L'espace d'une seconde, il fut certain de l'avoir perçue, et puis plus rien, elle s'était perdue dans les odeurs de poussière et de bois en décomposition lente de la bicoque. Il reprit sa respiration, posa sa valise et jeta son veston par terre. Le « salon » était vide, de même que la cuisine. Elle devait l'attendre en haut, pardi, peut-être même au lit. Ce serait bien d'elle, pour le faire enrager, de se cacher en pouffant sous les draps et, au moment où il entrerait, de partir d'un immense éclat de rire.

Il avala les marches deux par deux. La porte de la chambre était fermée. Il savait qu'il l'avait laissée ouverte — comme toujours — et son cœur commença à battre la chamade. Il hésita, avant d'entrer. Non par timidité, peur ou incertitude, mais pour prendre le temps de bien profiter de l'excitation et de joie qu'il avait réprimées toute la journée. Maintenant qu'il avait enfin atteint son but, il pouvait laisser libre cours à ses émotions. Il pouvait rester une dizaine de secondes les yeux fermés, à se réjouir de leurs retrouvailles, rester sur le seuil de leur réunion, savourer pleinement ce bonheur, puis ouvrir.

Il desserra les paupières, poussa doucement la porte, ne souffla mot.

Le lit était vide. Les draps sales rejetés en désordre, comme il les avait laissés. Une tasse contenant un fond de thé, sur la table de chevet, comme il l'avait laissée. Comme il l'avait laissée... La brise faisait voleter les lambeaux de tissu qui servaient de rideaux et agitait une toile d'araignée recouverte de poussière. Une sensation d'abandon au cœur, ce cœur qui avait battu si fort, il regardait, incrédule, la chambre déserte.

La chambre d'ami était vide, elle aussi. Il descendit et sortit dans le jardin où la bruyère atteignait maintenant hauteur d'homme et où des herbes folles verdoyaient déjà sur les cendres de son feu. Pas un seul rayon de soleil ne filtrait de ce ciel laiteux. Le silence, excepté le pépiement assourdi d'oiseaux qui ne chantaient pas. Une rafale de vent fit bruire la cime des fougères avant d'aller se perdre dans la forêt.

Elle devait pourtant être là puisque sa voiture y

était. Peut-être, lasse d'attendre, était-elle allée faire une promenade. Il l'appela une fois encore puis repartit sur le chemin, pataugeant dans la boue jaunâtre.

La Mercedes était toujours là, toujours vide. Il s'approcha et regarda par la vitre. Sur le siège arrière, se trouvait un exemplaire du *Financial Times* et, posé dessus, un étui à lunettes. Drusilla n'aurait pas ça avec elle. Pas plus qu'elle n'aurait un appuie-tête en cuir noir sur le siège de son passager, ou une paire de gants de conduite à dos en coton tressé et d'allure très masculine sur le tableau de bord.

Ce n'était pas sa voiture. Elle ne s'était pas déplacée.

— Tu ne veux pas venir ? Même si je te promets de te retrouver à la bicoque après ?

C'est ce qu'elle avait dit.

— Mon Dieu ! Je n'arrive pas à y croire ! Je vais te revoir demain ! Je vais te revoir !

Il résista à la tentation de décocher un coup de pied à la voiture, objet innocent et inanimé qui n'avait aucun rapport avec elle mais appartenait probablement à quelque observateur d'oiseaux ou archéologue amateur. Il repartit d'un pas traînant, tête baissée, si bien qu'il ne vit Mr. Tringham qu'au tout dernier moment et qu'ils faillirent se percuter.

— Regardez devant vous, jeune homme !

Gray allait poursuivre son chemin sans répondre mais Mr. Tringham, qui pour une fois ne tenait pas de livre à la main et semblait être tout exprès sorti de son cottage pour lui parler, l'arrêta sur un ton presque accusateur :

— Vous êtes allé en France.

— Oui.

— Il y avait un homme dans votre jardin, un peu plus tôt. Un type tout petit qui rôdait partout et regardait par les fenêtres. J'ai pensé préférable de vous prévenir, il m'a semblé qu'il essayait de s'introduire chez vous.

Qu'est-ce qu'il en avait à faire, qu'on ait essayé d'entrer ? Et de savoir qui, du moment que ce n'était pas elle ?

— Je m'en fiche.

— Hem ! J'étais sorti faire ma promenade plus tôt parce que j'avais peur qu'il se mette à pleuvoir. En plus de celui qui était dans le jardin, il y en avait un autre, l'air pas commode, les cheveux longs, qui était assis sous un arbre. J'aurais bien appelé la police, seulement je n'ai pas le téléphone.

— Je sais, fit amèrement Gray.

— Ah ! Vous prenez vraiment ces choses à la légère, vous, les jeunes, il faut dire. Moi, je crois qu'on devrait utiliser votre téléphone — ou du moins, celui de Mr. Warriner — et appeler tout de suite la police.

— Je veux pas de flics ici, le rembarra-t-il avec une brutale irascibilité. Je veux qu'on me foute la paix.

Il s'éloigna d'un air sombre. Mr Tringham, un peu à la manière d'Honoré, grommela quelque chose sur la décadence des jeunes d'aujourd'hui. Gray claqua la porte de la bicoque, se rendit au salon et donna un coup de pied aux clubs de golf qui se répandirent à terre avec un bruit métallique.

Elle n'était pas venue. Il avait entrepris tout ce voyage, des centaines de kilomètres, pour la voir, il avait couru à s'en faire éclater les poumons et elle n'était pas venue.

16

Le téléphone eut son déclic et se mit à sonner. Gray décrocha d'un air boudeur, sachant que c'était elle. Ce n'était pas sa voix qu'il voulait, ni une quelconque partie d'elle, mais elle tout entière.

— Salut.

— Qu'est-ce qui t'est arrivé ? fit-il sur un ton las.

— Qu'est-ce qui t'est arrivé à *toi* ?

— Dru, je me suis pointé ici à 6 heures moins 5. J'ai couru comme un fou. T'aurais pas pu m'attendre ? Où es-tu ?

— A la maison, répondit-elle. Je viens de rentrer. Microbe a dit qu'il serait de retour à 6 heures, et je n'ai pas pu trouver d'excuse pour ne pas être là. J'ai attendu jusqu'au dernier moment et puis j'ai dû filer. Il est dans le jardin, pour l'instant, mais il vaudrait mieux qu'on ne s'éternise pas.

— Tu m'avais pourtant promis, Dru. Tu m'avais promis d'être ici. Tu devais même me raccompagner à l'aéroport. Enfin, c'est pas le problème, mais si tu avais le temps de le faire, tu aurais sûrement pu... Bon sang ! j'avais tellement envie que tu sois là.

— C'est pas ma faute, j'ai fait ce que j'ai pu. J'aurais dû me rappeler que tu étais toujours en retard et que tu merdoyais toujours. T'as même pas été fichu de trouver le véto, hein ?

— Comment sais-tu ça ?

— J'ai téléphoné moi-même à Mr Cherwell pour savoir si t'étais passé.

— Ah ! c'était Cherwell, alors ?

— Bien sûr, pardi. 21, George Street, à Leyton. C'est ce que je t'avais dit, non ? D'ailleurs, peu importe : il a fallu piquer le chien.

— Oh ! Dru, *non !*

— Oh ! Gray, *si !* Et comme ça n'aurait rien changé que tu voies Cherwell, de toute façon, plus la peine de te tracasser. Qu'est-ce que tu comptes faire, maintenant ?

— Me coucher et me laisser crever, je suppose. Je me suis tapé tout ce chemin pour rien, et j'ai plus un rond en poche. C'est vraiment ce qui s'appelle perdre son temps et son argent. J'ai rien bouffé de toute la journée, pas de quoi me payer mon retour, et tu me demandes ce que je compte faire ?

— T'as pas trouvé le fric, alors ?

— Le fric ? Quel fric ? Je ne suis ici que depuis dix minutes, couvert de boue et vanné.

— Mon pauvre Gray ! T'inquiète pas. Je vais te dire, moi, ce que tu vas faire. Tu vas te changer, prendre l'argent que je t'ai laissé — il est dans la cuisine — et te tirer de ce trou pour retourner en France. Fais une croix sur cette journée, n'y pense plus. Vite, maintenant, je vois Microbe qui remonte du jardin.

— *Microbe ?* Qu'est-ce qu'on en a à foutre, de Microbe ? Si tu dois me rejoindre la semaine prochaine, si tu viens vivre avec moi, peu importe ce qu'il pense. Plus vite il sera au courant et mieux ça vaudra. (Il se racla la gorge.) Dru, tu n'as pas changé d'avis ? Tu me rejoins la semaine prochaine ?

Elle émit un soupir tremblant, un halètement. Ses mots étaient fermes, mais pas sa voix.

— Je ne change jamais d'avis.

— Bon dieu ! c'est quand même râlant d'avoir fait tout ce chemin et de te louper. Quand est-ce qu'on va se voir ?

— Bientôt. Dès que tu seras rentré. Mardi. Il faut que je raccroche, maintenant.

— Non, je t'en prie, non. (Elle n'allait pas couper comme ça, comme elle faisait toujours, sans un adieu... mais c'était sa manière.) Dru, je t'en supplie !

Pour la première fois, elle prononça ces mots :

— Au revoir, Gray. Au revoir.

Sur le couvercle de la baignoire, il trouva la facture de l'électricité, celle du téléphone, le chèque de son éditeur — les deux premières annihilant le troisième —, une carte postale de Mal et, plus inattendue, une autre de Francis et de Charmian à Lynmouth. A côté de toute cette correspondance, elle lui avait laissé l'argent en vrac. Le tas semblait insignifiant mais, en y regardant de plus près, il s'aperçut que les billets étaient tous de dix livres et qu'il y en avait dix. Il s'était attendu à trente livres et il en trouvait cent.

Pas le moindre petit mot tendre avec les billets. Elle avait laissé cent livres, négligemment, comme d'autres vingt *pence* en menue monnaie. Elle avait vendu sa bague en améthyste pour lui procurer de l'argent et il en éprouva une profonde gratitude, mais il aurait apprécié un petit message. Juste quelques lignes pour lui dire qu'elle l'aimait, qu'elle était peinée de ne pas l'avoir vu. Il n'avait jamais reçu la moindre lettre d'elle depuis qu'ils étaient ensemble, il ne savait même pas à quoi ressemblait son écriture.

Allons, à partir de la semaine prochaine, il n'aurait

plus besoin de souvenirs, de preuves écrites. 6 heures et demie approchaient : il devait partir. Mais d'abord, changer ces fringues dégueulasses. Il monta à l'étage en se demandant bien ce qu'il pourrait se mettre car il avait laissé tout son linge aussi crasseux qu'il l'avait ôté.

A l'exception du lit, il n'avait pas du tout regardé dans la chambre. Il s'aperçut alors que son jean et ses chemises sales avaient été lavés, repassés, et disposés sur le dossier de la chaise avec son pull irlandais tout propre. Elle avait fait ça pour lui. Elle avait nettoyé sa cuisine et fait sa lessive. Il se changea rapidement. Sans doute avait-elle voulu lui montrer par là qu'elle savait se rendre utile, qu'elle ne resterait pas les bras ballants comme une petite fille riche arrachée à son luxe, lorsqu'elle viendrait le rejoindre. Il roula en boule son pantalon maculé de boue et le jeta sous le couvercle de la baignoire. Les vitres avaient été nettoyées, la peinture lavée par endroits. Tout ça pour lui. Pour lui, aussi, elle avait vendu sa précieuse bague : il aurait dû être transporté de bonheur, et pourtant la déception de ne pas la voir l'accablait. Rien de ce qu'elle pourrait faire ou donner ne remplacerait sa présence.

Mais de retour en France, il lui téléphonerait et lui demanderait de l'attendre à la maison, mardi soir. Elle avait toujours sa clé. Celle qu'il voyait suspendue au-dessus de l'évier devait avoir été laissée par Isabel quand elle avait amené Didon. Un flot de culpabilité pour la mort de la chienne monta en lui : sa négligence était à l'origine de tout, elle l'avait poussé à commettre une erreur qui confinait à l'acte criminel. Mais lorsque Drusilla serait avec lui, tout cela changerait : il faudrait qu'il prévoie, se souvienne, prenne des décisions.

Il avait juste le temps de préparer du thé — sans lait

— et d'ouvrir une boîte de conserve avant de repartir à la gare. Le téléphone était raccroché, le courrier lu, la porte de derrière verrouillée. Bon. Y avait-il autre chose à se rappeler? Peut-être devrait-il emporter cette clé avec lui. Si le petit homme signalé par Mr. Tringham avait vraiment des idées de cambriolage, elle était trop accessible : il suffirait de briser une vitre de la cuisine et de passer la main pour atteindre le clou et se rendre maître de la bicoque — la bicoque de Mal. Il n'apprécierait pas trop, Mal, de se faire piquer ses clubs de golf ou un de ces vieux meubles miteux qui constituaient, après tout, ses seuls biens.

En se félicitant de cette prudence, pour lui sans précédent, Gray décrocha la clé. Il s'apprêtait à la glisser dans sa poche lorsqu'il interrompit son geste : il était surpris de voir le métal si poli et brillant. Il avait donc dû donner à Isabel la clé de réserve laissée par Mal? Celle-ci ressemblait plutôt au double qu'il avait fait faire spécialement pour Drusilla, au moment où celle-ci lui rendait si fréquemment visite qu'elle risquait d'arriver avant qu'il fût rentré de faire les courses. Peut-être ne lui avait-il pas donné la neuve, après tout, mais la vieille, tandis que l'autre, la plus brillante, était restée accrochée en réserve. Il ne se rappelait plus du tout et cela ne semblait plus avoir grande importance.

Il but son thé et laissa la vaisselle sale sur l'égouttoir. Les cent livres et les deux clés dans la poche, il referma la porte d'entrée derrière lui. L'air était imprégné d'une fine bruine — une simple brume, presque — et des gouttes plus épaisses dégoulinaient du feuillage des hêtres. Il marcha sur l'herbe mouillée pour éviter la boue jaune.

La Mercedes verte était toujours là. Une voiture volée, sans doute, abandonnée dans cet endroit. Ou alors son propriétaire était parti observer la nature dans les profondeurs de la forêt. Les deux Willis discutaient dans leur jardin, devant la maison, sur la pelouse qui, pour Gray, paraissait comme neuve. Ils semblaient se chamailler, ou peut-être se lamenter sur un cas d'attaque de mildiou ou de pucerons. Ils aperçurent Gray et se détournèrent d'un air guindé, raides comme la justice.

A l'embranchement, les voitures de police avaient disparu et le sable avait été balayé. Il pressa le pas en direction de la gare.

La lune brillait sur la France. Le ciel s'était-il dégagé en Angleterre aussi, la même lune brillait-elle à la fois sur la forêt d'Epping et sur Combe Park? Microbe et elle devaient être au lit, maintenant, ce grand bouffi dans son pyjama rouge et noir, en train de lire les mémoires de quelque directeur de société ou peut-être le *Financial Times*, la svelte jeune femme en froufrous blancs plongée dans un roman. Mais en ce samedi soir, elle ne recevrait pas de coup de téléphone avec la respiration muette et lourde d'un homme bizarre à l'autre bout du fil. Elle ne serait plus seule, elle réfléchirait à la façon d'annoncer à son mari, dans le lit d'à côté, qu'elle allait le quitter la semaine prochaine. Rêve de moi, Drusilla...

Après le dernier panneau indicateur de nids de poule, il entra avec la voiture dans Bajon endormie, longea le bosquet de châtaigniers et passa devant la maison appelée *Les Marrons*. Le clair de lune diffusait juste assez de lumière pour lui permettre de recouvrir l'auto de sa housse protectrice en nylon. Mais le hall du Petit Trianon était plongé dans une obscurité totale. Il chercha l'interrupteur à tâtons et trébucha sur quelque chose qui se dressait juste derrière la porte : une gerbe funéraire de lys dans une vasque en plastique. Craignant que le bruit n'eût réveillé son beau-père, il poussa la porte de la chambre qu'Honoré avait laissée entrouverte.

Le faible clair de lune, qui avait transformé le groupe des nains du jardin en un ballet fantomatique, soulignait le rebord des meubles d'un liséré argenté et dessinait de petites formes géométriques pâles sur le tapis. Honoré, cheveux poivre et sel ébouriffés en épis hirsutes, dormait en chien-de-fusil dans son lit, mais tourné vers celui d'Enid, un bras tendu comme une passerelle entre les deux et la main fourrée sous l'oreiller de sa femme. Il sommeillait profondément, serein, presque souriant. Gray supposa qu'ils avaient toujours dormi ainsi, main dans la main, et il comprit que, pour son beau-père, le rêve repoussait la terrible réalité : elle était encore là, c'était le contact de sa joue qu'il sentait sur sa paume.

Emu, presque intimidé, il songea que Drusilla et lui dormiraient ainsi, mais dans le même lit, toujours ensemble. Et toute la nuit, il fit les plus tendres, les plus paisibles des rêves qu'il avait jamais eus d'elle, jusqu'à ce que les aboiements du chien du fermier ne l'éveillent à 8 heures. Il se leva alors et apporta du café à Honoré qui, à présent, perdait tout sourire et toute sérénité le matin. Ses manies de lève-tôt semblaient l'avoir quitté en même temps qu'Enid.

Mme Reville vint et emmena Honoré à la messe. Gray se retrouva seul dans la maison, seul avec le téléphone. Que faisaient-ils, Microbe et elle, le dimanche ? Il fouilla dans ses souvenirs à la recherche d'une indication qu'elle aurait pu lui donner sur leurs habitudes dominicales, mais en vain. Ils n'allaient sûrement pas à l'église. Peut-être Microbe jouait-il au golf, ou retrouvait-il des copains aussi rupins que lui au pub des hauts de la Petite Cornouailles ? Il y avait une petite chance qu'elle soit seule, ou même qu'elle ait déjà parlé à Microbe. Elle apprécierait alors un coup de fil, qui la soutiendrait et lui donnerait confiance.

Sans plus d'hésitation, il composa le numéro. Il entendit sonner, sonner, mais personne ne répondit. Il essayait encore une heure plus tard lorsque la voiture de Mme Reville s'arrêta devant la maison, ce qui le força à abandonner. Bon, il avait dit lundi : il pourrait bien attendre jusque-là, quand même ?

La journée n'en finissait pas. Chaque heure passée loin d'elle lui paraissait interminable. Il ne cessait de penser à la scène qui se déroulait peut-être en ce moment même à Combe Park, où Drusilla faisait part de son intention de partir et Microbe de la sienne : la retenir à tout prix. Il pouvait même devenir violent. Ou alors la flanquer dehors, mais là, elle avait toujours sa clé et trouverait refuge à la masure si nécessaire.

Honoré était allongé sur le sofa et relisait les lettres qu'Enid lui avait écrites durant la brève période entre leur rencontre et leur mariage. Pleurant à chaudes larmes, il en lut tout haut quelques passages à Gray.

— Mon Dieu qu'elle m'aimait ! Seulement il y avait tant de doutes dans sa tête, à ma petite Enid ! Et mon garçon, alors ? qu'elle écrit ici. Et mes amis ? Comment vais-je pouvoir vivre dans ton monde, moi qui ne parle que le français que j'ai appris à l'école ? (Honoré se redressa d'un coup et pointa le doigt en direction de Gray.) Mais ces doutes, je les ai tous balayés par la force de mon amour. Je suis le patron, maintenant, que je lui ai répondu. Tu feras comme je dis, et je dis que je t'aime, c'est tout ce qui compte. Ah ! comme elle a su s'adapter ! Elle était pourtant déjà vieille, ajouta-t-il avec son manque de nuance habituel, mais elle n'a pas tardé à parler comme si elle était née ici, à se faire de nouveaux amis, à tout abandonner pour être avec moi. Avec l'amour, Grahamme, on peut arriver à tout.

— Ça, c'est bien vrai, fit-il en pensant à Drusilla.

— Un petit cognac, mon fils ? proposa Honoré en faisant un paquet de ses lettres et en s'essuyant les yeux d'un revers de manche. Demain, après l'enterrement, ça ira mieux. Je reprendrai du poil de la bête, comme on dit.

Après l'enterrement, tandis qu'on servait le vin et les gâteaux dans le salon, Gray s'éclipsa pour téléphoner à Drusilla. Elle devait attendre son appel avec impatience, peut-être même avait-elle tenté de le joindre pendant qu'ils étaient à l'église. Elle était sûrement assise à côté du téléphone, solitaire et apeurée après la terrible scène qu'elle avait eue avec Microbe, et redoutant, parce que Gray n'avait pas encore appelé, d'être aussi abandonnée par son amant. Il composa le numéro. Une dizaine de doubles sonneries s'égrenèrent. On décrocha.

— Combe Park.

Cette voix rauque, avec son accent cockney, n'était évidemment pas celle de Drusilla. Il en fut atterré, puis réalisa qu'il devait s'agir de la femme de ménage. Drusilla et lui s'étaient toujours mis d'accord que si jamais il tombait sur la femme de ménage, il devrait raccrocher sans rien dire. Mais plus aujourd'hui, sûrement ? Ce n'était plus pareil !

— Combe Park, répéta la voix. Qui c'est ?

Mieux valait réessayer plus tard et ne rien faire qui pût compliquer une situation déjà délicate. Il reposa le combiné avec toute la précaution et la douceur possibles, comme s'il pouvait par là effacer complètement son appel, puis retourna dans la pièce où les gens discutaient à mi-voix en sirotant leur Dubonnet et en grignotant leurs petites madeleines à l'orange. Immédiatement, le maire le prit à part et lui posa en anglais nombre de questions sur son voyage en Angleterre. Avait-il pu assister à un match de cricket ou, mieux encore, aller à Manchester ? Gray répondit deux fois par la négative, conscient du regard appuyé que Mme Derain posait sur lui. Elle avait les mêmes petits yeux de fouine que son frère, la même peau mate mais, dans son cas, la frêle ossature des Duval disparaissait sous une montagne de graisse, ses traits sous les rides et replis de sa peau parcheminée...

— Ici, fit-elle comme une pancarte dans un magasin, on parle français.

Elle avait pris en main les rênes de la maison. Il était clair qu'elle avait l'intention de rester, de quitter son travail et son appartement au-dessus de la poissonnerie, à Marseille, pour s'installer au Petit Trianon, comparativement plus luxueux et plus calme. Encore plus pingre qu'Honoré, elle parlait déjà de prendre un locataire, d'enlever les trépieds et les soucis du jardin de derrière et d'y faire des légumes. Quant aux beaux-fils anglais qui ne participaient pas aux dépenses domestiques, ils n'étaient pas pour elle les bienvenus.

Un verre de Dubonnet par tête fut tout ce qu'elle accorda, après quoi les participants au cortège furent pressés vers la sortie. Gray essaya de nouveau de téléphoner à Drusilla et tomba une fois de plus sur la femme de ménage. Sa troisième tentative, à 5 heures et demie, le dernier moment possible, n'eut pas la moindre chance d'aboutir : Mme Derain lui arracha le combiné des mains. Elle ne récrimina pas contre lui ou contre la formidable dépense ainsi entraînée, mais annonça d'un air glacial qu'elle comptait faire débrancher l'appareil aussitôt que possible.

Il décida de réessayer au matin, pendant qu'elle irait chercher le pain. Seulement lorsqu'il entra dans la chambre, le lendemain, alors qu'Honoré buvait son café dans la cuisine, Mme Derain y était déjà. Sous prétexte d'éliminer des souvenirs pénibles pour son frère, elle triait en fait parmi les habits d'Enid ceux qu'elle pourrait remettre. Gray voyait en Honoré le type d'homme qui, au contraire, aurait aimé faire un sanctuaire de la chambre de sa femme défunte, chérir le moindre des objets qui lui avait appartenu comme une relique de leur bonheur. Mais Mme Derain ne l'entendait pas de cette oreille. Elle avait tout juste autorisé son frère à garder l'alliance d'Enid — bien qu'elle fût d'avis de la vendre, ce serait plus prudent — et Honoré gardait la bague dans ses mains brunes et calleuses, car elle était trop petite pour aller à l'un quelconque de ses doigts.

— Je veux vous rendre l'argent que vous m'avez envoyé, dit Gray. Voilà, trente livres. J'y tiens.

Honoré protesta, mais faiblement. Gray pensa que la vie de son beau-père ne serait plus désormais qu'une suite de ruses et d'artifices pour soutirer adroitement de l'argent à sa sœur et dissimuler les rentrées inattendues — comme celle-ci, la première. Honoré glissa les billets dans sa poche non sans avoir jeté un regard déjà furtif, déjà craintif, en direction de la porte.

— Reste encore une semaine, Grahamme.

— Je ne peux pas, j'ai des tas de choses à faire. Et pour commencer, je vais déménager.

— Je vois : tu vas déménager, oublier de donner ta nouvelle adresse au pauvre Honoré, et il va te perdre.

— Non, je n'oublierai pas.

— Tu reviendras, pendant tes vacances ?

— Il n'y aura plus de place pour moi quand vous aurez votre locataire.

Gray se demanda soudain s'il ne devait pas mettre Honoré au courant, au sujet de Drusilla, lui donner une version expurgée des choses, peut-être, lui dire que c'était la fille qu'il espérait épouser lorsqu'elle aurait divorcé. Parce que c'est ce qu'il voulait, maintenant : tout au grand jour, au vu et au su de tout le monde, plus de secrets. Il jeta un coup d'œil vers Honoré qui mangeait et buvait mécaniquement et dont les pensées étaient manifestement tournées vers sa défunte femme. Non, mieux valait ne rien dévoiler, pour l'instant. Mais il trouva quand même étrange d'avoir envisagé d'en parler à son beau-père, naguère son ennemi. Durant toutes ces années où ils auraient pu avoir des relations heureuses, ils étaient chacun sortis de leur véritable personnage pour s'opposer à l'autre, chacun s'obstinant à parler la langue de l'autre. Et maintenant que leurs relations prenaient fin, alors qu'il était probable — tous deux le savaient — qu'ils ne se reverraient plus jamais, Honoré parlait français et lui anglais, et ils se comprenaient fort bien, et quelque chose qui ressemblait fort à de l'amour s'était installé entre eux.

Enfin, peut-être reviendrait-il un jour. Drusilla et lui pourraient faire leur voyage de noces en France, passer par Bajon — en stop, très probablement, pensa-t-il — s'arrêter voir Honoré...

Devait-il essayer de l'appeler ? Entrer à l'*Ecu* et utiliser le téléphone du bar ? Car ainsi, ils pourraient convenir d'une heure de rendez-vous, et lui, lui préparer un repas avec du vin pour l'accueillir quand elle entrerait enfin dans sa nouvelle maison et dans sa nouvelle vie.

Mais il serait difficile d'expliquer cela à Honoré qui semblait s'être mis dans la tête que son beau-fils avait entamé une liaison avec une vieille éleveuse de chiens. A quoi bon prendre cette peine alors qu'il serait à Londres dans trois ou quatre heures ?

— Vous allez manquer votre avion, le pressa

Mme Derain qui avait sur le bras l'un des foulards d'Enid dont la vue fit tressaillir Honoré. Dépêchez-vous, le bus part dans dix minutes.

— Je vais te conduire à Jency, mon fils.

— Non, Honoré. Vous n'êtes pas en état, et je pourrai me débrouiller. Restez plutôt ici et reposez-vous.

— J'insiste. Je suis ton papa, non? Alors tu dois m'obéir.

La housse en nylon fut donc ôtée de la Citroën et Honoré le conduisit à Jency. Là, ils attendirent à la terrasse d'un café, et lorsque le bus arriva, Honoré embrassa tendrement Gray sur les joues.

— Tu m'écriras, hein, Grahamme?

— Bien sûr.

Et Gray agita la main, par la vitre du bus, jusqu'à ce que la petite silhouette au béret basque — celle du Français vendeur d'oignons, du serveur d'hôtel qui avait volé le bonheur de son adolescence et tué son rêve — se fût réduite à un point sur la poussière de la grand-place.

17

Une chape d'humidité lourde, presque irrespirable, recouvrait Londres. Un temps de novembre, pensa Gray, mais en plus chaud. Le ciel, d'un gris pastel uniforme, semblait peser sur le toit des maisons et sur la cime des arbres comme un sac de mousseline affaissé. Pas un souffle d'air qui vînt agiter la moindre feuille, faire ondoyer les replis d'un drapeau ou jouer dans les cheveux d'une femme. On se serait cru dans une serre vide de fleurs.

Il composa son numéro depuis l'aérogare mais n'obtint pas de réponse. Sortie faire des courses, sans doute : elle ne pouvait pas rester bloquée toute la journée à la maison à attendre son coup de fil. Il essaya encore à la gare de Liverpool Street, puis à Waltham Cross, mais chaque fois sans succès. Une fois, deux fois, elle avait pu s'absenter ou être dans le jardin — mais pas tout le temps ? Il n'avait pas dit qu'il l'appellerait, mais elle devait bien se douter qu'il le ferait, quand même ? Allons, pas la peine de se mettre martel en tête, ni de se ruer dans toutes les cabines téléphoniques qu'il croisait sur son chemin. Mieux valait attendre d'être rentré à la maison.

Pocket Lane semblait avoir attiré vers la pénombre humide de ses sous-bois tout ce que l'Essex comptait d'insectes ailés qui tournoyaient et bourdonnaient sur son passage et qu'il lui fallait écarter de son visage et du sac qui contenait la viande froide, la salade et la bouteille de vin achetées pour leur dîner chez un traiteur de Gloucester Road. Peut-être n'était-elle pas chez elle parce qu'elle s'était, comme il l'avait envisagé avec quelque espoir, réfugiée à la bicoque pour se protéger de Microbe. Il n'avait pas pensé à appeler là-bas. Il se pouvait qu'elle y soit et l'y attende. Mais non, pas question de remettre ça, il n'allait pas revivre ce sinistre cauchemar de samedi : courir à mort pour la rejoindre et trouver l'endroit désert.

Il ne put cependant s'empêcher d'y croire jusqu'à ce qu'il fût arrivé et monté à l'étage. Ce n'est pas parce qu'on se dit qu'un espoir est vain qu'il disparaît. Il déposa la nourriture sur la table aux pieds en fer et décrocha le téléphone. Mais au moment de composer le numéro, il vit les clubs de golf debout contre le mur alors qu'il les avait laissés en désordre par terre après avoir donné un coup de pied dedans... Elle était donc venue ? Cinq, zéro, huit, puis les quatre autres chiffres. Il laissa sonner une bonne vingtaine de fois, puis raccrocha, résolu à garder son calme, à se montrer raisonnable et à s'abstenir de toute nouvelle tentative pendant deux heures.

Elle avait dit mardi, mais n'avait pas parlé de le contacter avant de venir. Et puis il y avait toutes sortes d'explications possibles à son absence de Combe Park. Elle avait même pu aller l'attendre à l'aéroport et l'aurait manqué. Il sortit dans le jardin et s'allongea parmi les fougères. L'air y était un peu moins étouffant et confiné qu'à l'intérieur, mais l'atmosphère, épaisse, immobile, tiède, était chargée de la tension caractéristique de ce genre de temps.

Comme si le ciel lui-même attendait qu'il se passe quelque chose.

Les oiseaux ne chantaient pas. On n'entendait que le bruissement étouffé des moucherons qui s'élevaient et redescendaient en nuées vivantes, les arbres étaient pétrifiés, drapés dans le manteau immobile de leur verdure, leurs troncs pareils à des colonnes de pierre. Il pensait à elle, sur son lit de fougères, balayant ses doutes à mesure qu'ils prenaient forme dans son esprit : ne connaissait-il pas sa détermination, sa ponctualité ? Elle ne changeait jamais d'avis. Il avait laissé la porte d'entrée entrouverte pour entendre la sonnerie du téléphone. Allongé sur le côté, il surveillait le chemin à travers la forêt miniature des tiges de fougère. Ainsi, il verrait la silhouette argentée de sa voiture se glisser dans la trouée entre les frondes et les branches basses des arbres. Bercé à la fois par la tiédeur de l'air et par les apaisements qu'il s'était donnés, il ne tarda pas à s'endormir.

Il était près de 5 heures et demie lorsqu'il s'éveilla, mais l'apparence de la forêt et la lumière n'avaient pas varié. Aucune voiture n'était venue et le téléphone n'avait pas sonné. 5 heures et demie, l'heure limite pour l'appeler sans risque. Il retourna lentement à la maison et composa le numéro mais n'obtint toujours pas de réponse. Elle était donc restée toute la journée dehors, cette journée où elle devait quitter son mari pour rejoindre son amant. Les excuses rassurantes qui lui avaient permis de trouver le sommeil commencèrent à s'estomper et à faire place à une sourde appréhension. « Je ne change jamais d'avis », avait-elle dit. « Je quitterai Microbe et je viendrai vivre avec toi. » « Dès que tu seras rentré. Mardi » Mais elle avait dit au revoir, aussi, ce qu'elle n'avait jamais fait auparavant. Ils avaient bien dû se parler deux ou trois cents fois au téléphone, se rencontrer aussi souvent : elle n'avait jamais terminé une conversation ou une rencontre par un véritable mot d'adieu. Salut, à demain, à la prochaine. Au revoir, non...

Mais où qu'elle se trouve en ce moment, quoi qu'elle ait fait dans la journée, il faudrait bien qu'elle rentre : Microbe exigeait sa présence le soir, jeudis exceptés. Eh bien il réessaierait à 6 heures et demie, au diable Microbe. Il essaierait toutes les demi-heures. Si elle n'arrivait pas, bien sûr : car la possibilité subsistait toujours qu'elle ait promis à son mari d'attendre son retour avant de partir.

Bien qu'il n'eût rien mangé depuis son départ du Petit Trianon, il ne se sentait ni faim ni l'envie de déboucher la bouteille qu'il avait apportée. Même une tasse de thé ne lui disait rien. Il s'installa dans son fauteuil, les yeux rivés sur l'insondable téléphone, grillant cigarette sur cigarette — au moins cinq dans l'heure qui suivit.

Microbe devait être rentré depuis une demi-heure, à présent. En toutes circonstances, à moins qu'il ne fût en voyage d'affaires — et elle en aurait parlé, dans ce cas —, le mari de Drusilla franchissait les grilles de Combe Park au volant de sa Bentley juste avant 6 heures. Peut-être répondrait-il au téléphone, alors. Tant mieux. lui, Gray, donnerait son nom, expliquerait qui il était et demanderait à parler à Drusilla. Et si Microbe tenait à savoir pourquoi, il le lui dirait, il cracherait le morceau tout entier. Le temps de la discrétion était révolu. Cinq, zéro, huit... Allons bon ! il avait dû se tromper car il n'obtint qu'une tonalité aiguë et continue. Il fallait recommencer, sa main avait dû trembler. Cinq, zéro, huit...

Deux sonneries, trois, vingt. Combe Park était vide, ils étaient tous les deux sortis. Mais il n'était pas possible qu'elle fût allée avec lui, lui le mari qu'elle était sur le point de quitter, le jour même où elle devait commencer une vie nouvelle avec son amant.

« Je t'aime. J'ai décidé que si tu voulais toujours de moi, je quitterais Microbe et je viendrais vivre avec toi. Bientôt. Dès que tu seras rentré. Mardi... »

Il s'approcha de la fenêtre et regarda au-dehors, à travers un lacis de branches immobiles. Bon, se dit-il, je ne regarderai plus avant d'avoir compté jusqu'à cent. Et puis non, je vais me préparer une tasse de thé, fumer deux cigarettes avant de compter jusqu'à cent, et elle sera là. Il l'attendait comme il avait imaginé qu'elle l'attendait samedi.

Mais au lieu d'aller dans la cuisine, il se rassit dans le fauteuil et, fermant les yeux, se mit à compter. Il y avait des années qu'il n'avait pas ainsi compté tout haut, pas depuis qu'il était gosse et jouait à cache-cache. Il n'arrêta pas lorsqu'il fut arrivé à cent, mais continua de manière obsessionnelle, comme s'il comptait les jours de sa vie ou les arbres de la forêt. A mille, il s'arrêta et rouvrit les yeux, atterré par ce qui se passait dans son esprit, par ce qui se passait en lui-même. Il n'était encore que 7 heures. Il décrocha le combiné, composa le numéro qui lui était devenu plus familier que le sien, accomplissant ces gestes avec un automatisme tel qu'il aurait pu les effectuer dans le noir. Et la sonnerie s'égrena comme il avait égrené les nombres tout à l'heure : dans le vide, inutilement, sans raison.

Microbe avait dû l'emmener. Elle lui avait tout dit et lui, sidéré et furieux, avait bouclé la maison et emmené son épouse loin des séductions du jeune amant prédateur. A Saint-Tropez ou Saint-Moritz, dans ces sanctuaires du tourisme où l'on pouvait espérer des miracles, dans les fastes de la vie mondaine où les femmes oublient ce qu'elles quittent. Il lâcha le combiné, se passa la main sur les yeux et le front. A supposer qu'ils fussent partis pour des semaines, des mois? Il ne semblait guère y avoir de moyen de savoir où. Il lui était difficile d'aller sur place questionner les voisins, et il ne connaissait ni le numéro du bureau de Microbe ni l'adresse du père de Drusilla. Gray eut cette pensée horrible que si elle venait à tomber malade ou à mourir, il ne le saurait même pas car personne, parmi les gens de leur entourage respectif, ne connaissait l'existence de l'autre.

Il n'avait d'autre solution que d'attendre — et d'espérer. C'était encore mardi, après tout, et elle n'avait pas précisé *quand* elle viendrait, mardi. Peut-être avait-elle tergiversé jusqu'au dernier moment pour parler à Microbe, peut-être était-elle en train de le faire maintenant, et leur querelle était si vive, leurs émotions atteignaient un tel paroxysme qu'ils avaient à peine entendu le téléphone et encore moins eu envie d'y répondre. Dans un moment, quand tout aurait été dit, elle claquerait la porte de la maison, jetterait ses valises toutes prêtes dans la voiture et partirait sur les chapeaux de roue en direction de la forêt...

Il était en train de visualiser la scène, de suivre les phases de l'affrontement de ces deux personnages au comble de la colère et de la peur dans cette superbe maison sans amour, lorsque le téléphone, jusque-là tellement silencieux et inerte qu'il donnait l'impression de ne plus jamais devoir sonner, émit son hoquet préliminaire. Le cœur de Gray chavira. Il colla l'oreille au combiné avant la fin de la première sonnerie et retint son souffle, les yeux clos.

— Mr Graham Lanceton?

Microbe. Etait-ce Microbe? La voix était épaisse, peu raffinée, le ton très ferme.

— Oui, répondit Gray en serrant le poing de sa main libre.

— Je suis l'inspecteur principal Ixworth, fit la voix. Je voudrais passer vous voir, si cela ne vous dérange pas.

La déception fut si grande, si terrible — bien pire que celle ressentie lorsqu'il avait eu M. Reville au bout du fil chez Honoré — qu'il put à peine parler. Il lui fut aussi difficile de trouver des mots que d'obtenir de sa gorge, sèche et contractée, la voix appropriée pour les dire.

— je ne... Qui...? Quoi...? bredouilla-t-il.

— Inspecteur principal Ixworth, Mr Lanceton. 9 heures, ça ira?

Gray ne répondit pas. Il raccrocha sans un mot et resta cinq bonnes minutes hébété, pris de frissons, avant de pouvoir se remettre du choc de la déception : ce n'était pas elle. Alors il épongea la sueur de son front et se dirigea vers la cuisine. Là, au moins, il ne verrait pas ce maudit téléphone.

Sur le seuil, il s'arrêta net : une vitre avait été brisée, la fenêtre forcée, et la porte de la cave était entrouverte. Tous ses papiers étaient maintenant rangés en une pile aussi ordonnée qu'une rame neuve de papier machine. Quelqu'un était entré, et ce n'était pas elle puisqu'on s'était introduit par effraction. Il se secoua, essaya de retrouver ses esprits. Il commença à vaguement comprendre pourquoi cet inspecteur avait appelé : la police avait découvert un cambriolage.

Comme il allait devoir tuer le temps jusqu'à ce qu'elle appelle ou arrive, il décida de jeter un coup d'œil pour voir si on avait fauché quelque chose. Ça l'occuperait, au moins. Sa machine à écrire était toujours là, bien qu'il eût l'impression qu'on l'avait déplacée. Il ne put se rappeler où il avait laissé le coffret. Après avoir cherché dans les pièces du bas, il monta à l'étage. Il y régnait partout une odeur de moisi, de renfermé. Il ouvrit les fenêtres du palier et de sa chambre, mais il n'y avait pas le moindre souffle qui pût balayer l'air vicié et faire entrer de cet air frais dont il aurait eu tant besoin pour s'emplir les poumons de grandes bouffées d'oxygène, pour desserrer l'étau qui lui oppressait la poitrine. Mais lorsqu'il mit la tête dehors, l'atmosphère était si épaisse qu'elle lui colla à la gorge.

Le coffret n'était dans aucune des chambres. Il ne se fiait plus guère à sa mémoire, mais était pourtant certain de l'avoir laissé quelque part dans la maison. Qu'en aurait-il fait d'autre ? S'il n'était pas là, c'est donc que l'intrus l'avait emporté. Il chercha de nouveau dans le « salon » et la cuisine, puis descendit les marches de la cave.

Quelqu'un avait chamboulé les tas de détritus, et le fer à repasser avait disparu. Son trépied se trouvait sur une pile de vieux journaux moisis mais le fer lui-même, celui qui l'avait brûlé et dont il gardait une cicatrice bien visible sur la main, n'était plus là. Déconcerté par cet étrange larcin, il lança quelques coups de pied dans des morceaux de charbon et découvrit, sur des dalles humides, une tache et des éclaboussures brunâtres.

Cela pouvait ressembler à du sang. Il songea à Didon. Elle avait pu réussir à pénétrer dans la cave, tomber dans les marches, se blesser contre l'un des bidons de mazout ou contre le vieux vélo pourri. Cette horrible pensée le fit frémir et il remonta vivement. Le coffret n'était pas là, de toute façon.

Le jardin était à présent envahi par un brouillard naissant dont les lourdes volutes blanches et cotonneuses pendaient, inertes, aux bractées d'orties et de fougères. La vitre brisée de la fenêtre donnait à la cuisine un air encore plus délabré que jamais. Il mit la bouilloire sur le feu pour faire du thé mais sortit en attendant qu'elle chauffe : il ne supporterait plus de rester dans cette pièce, après ce qui s'y était passé. Le fantôme de Didon le poursuivait. Il s'imagina entendre le bruit ouaté de ses pattes sur le sol ou sentir le contact de sa truffe humide contre sa main.

Il tressaillit et s'approcha de nouveau du téléphone. Il composa le numéro avec application mais pas trop lentement, car on disait qu'un trop grand intervalle entre les chiffres pouvait être cause d'erreurs. Un cheveu dans le mécanisme, un grain de poussière... Et s'il faisait un faux numéro, depuis tout à l'heure? Ça se pourrait, par une sorte de lapsus freudien. Il reposa donc le combiné, redécrocha et actionna le cadran avec une précision calculée en même temps qu'il se récitait les chiffres à voix haute. La sonnerie recommença à s'égrener. Mais il avait compris dès le deuxième coup que la tentative serait vaine. Laisser tomber jusqu'à 10 heures, maintenant . Réessayer à 10 heures. Puis à minuit. S'il n'y avait pas de réponse à minuit, il saurait qu'ils étaient partis.

Il s'était fait une tasse de thé et l'avait transportée dans le « salon » — car malgré sa résolution, il n'aurait pu supporter d'être à plus d'un mètre du téléphone lorsqu'il entendit le ronronnement d'un moteur de voiture. Enfin. Enfin à 8 h 20, une heure parfaitement raisonnable, elle était venue à lui. La longue, la terrible attente était terminée et serait, comme toute longue et terrible attente, instantanément oubliée maintenant que ce qu'il avait tant appelé de ses vœux s'était réalisé. Il ne se précipiterait pas à la porte, n'irait même pas regarder à la fenêtre, attendrait le coup de sonnette, et alors seulement il irait ouvrir, lentement, en espérant parvenir à conserver ce calme de façade même lorsqu'il la verrait, silhouette blanche et or, radieuse dans la nuit tombante, en espérant pouvoir réfréner l'élan de ses émotions jusqu'à ce qu'elle soit dans ses bras.

La sonnette retentit. Gray posa sa tasse de thé. On sonna encore. Oh, Drusilla... ! Il ouvrit la porte et resta horrifié, les muscles tétanisés, hagard : c'était Microbe qui se tenait devant lui. Dans les moindres détails de l'image qu'il s'en était faite — image qui ne s'avérait maintenant que trop réelle — cet homme correspondait au mari de Drusilla. Depuis les cheveux bruns et bouclés, coupés trop court et faisant contraste avec un visage rouge sombre strié de veines, jusqu'aux chaussures en daim couleur pain d'épice, c'était Microbe Janus. Il portait un imperméable blanc dont la ceinture enserrait un ventre épaissi par trop de bien-vivre.

Ils se dévisagèrent l'un l'autre en silence pendant un temps qui parut infiniment long mais ne dut pas excéder quelques secondes. Par réflexe plus que par raison, Gray s'imagina d'abord que l'homme allait le frapper. Puis il nota sur les lèvres de ce visage menaçant et agressif un pli moqueur, mais trop ténu pour être qualifié de sourire. Il eut un recul et crut perdre la raison tant les paroles qu'il entendit étaient aberrantes, inconcevables en pareille circonstance.

— Je suis un peu en avance, fit l'homme, un pied sur le pas de la porte, balançant sa mallette. Il n'y a pas de mal, j'espère ?

Si, tout allait mal, tout clochait.

— Je m'attendais pas à..., commença Gray.

— Mais je vous ai téléphoné. Je m'appelle Ixworth.

Gray resta un moment immobile, puis acquiesça de la tête. Il ouvrit plus grand pour laisser entrer le policier. Il y a des limites aux désillusions, on finit par les accepter, par les prendre comme partie d'un cauchemar. Il était certes préférable que ce fût quelqu'un d'autre que Microbe, mais tout aussi intolérable que ce ne fût pas Drusilla.

— Vous rentrez juste de France, n'est-ce pas?

Ils étaient parvenus au « salon » sans que Gray sût comment : Ixworth se déplaçait comme s'il connaissait déjà l'endroit.

— De France, oui.

Une pointe de surprise dut percer dans cette réponse pourtant simple et mécanique.

— Nous parlons aux amis et aux voisins, Mr Lanceton, ça fait partie du métier quand on est enquêteur. Vous êtes allé en France voir votre mère avant sa mort, exact?

— Oui.

— Votre mère est décédée vendredi. Samedi, vous êtes revenu ici en avion et reparti le soir même. Vous avez dû avoir une très bonne raison pour ça?

— Je croyais, fit Gray, en essayant de se rappeler les événements mineurs de la journée, que vous étiez venu me parler de l'effraction qu'il y a eue chez moi?

— Chez vous? (Les épais sourcils noirs se levèrent.) Il me semblait que ce cottage appartenait à un certain Mr Warriner, actuellement au Japon?

— J'habite ici, rectifia Gray avec un haussement d'épaules. Il m'a prêté la maison. De toute façon, on n'a rien emporté. (Inutile de parler du coffret, cela ne servirait qu'à retenir ce gars ici.) Je n'ai vu personne, je n'étais pas là.

— Vous y étiez samedi après-midi.

— Seulement une demi-heure et il n'y avait pas encore eu d'effraction, à ce moment-là : la fenêtre n'était pas cassée.

— C'est nous qui l'avons cassée, Mr Lanceton, fit Ixworth avec une petite toux. Nous sommes entrés dans cette maison hier, avec un mandat, et nous y avons trouvé le corps d'un homme gisant au bas de l'escalier de la cave. La mort remontait à quarante-huit heures : son bracelet-montre était brisé et les aiguilles indiquaient 4 heures et quart.

Gray, qui était resté debout en une attitude nonchalante d'indifférente impatience, se laissa choir dans le fauteuil marron. Ou plutôt, ce fut comme si le fauteuil s'était élevé pour le recevoir. Ce que venait de dire Ixworth le plongeait dans un état de stupeur d'où émergea la vision d'un petit homme qui furetait dans le jardin, autour de la bicoque.

Le cambrioleur, ou les cambrioleurs, la tache brunâtre... Quels étaient donc ces intrus qui avaient investi son cauchemar pour y ajouter une intrigue secondaire incongrue, un autre cauchemar bien à eux, à la fois tellement plus insignifiant et tellement plus énorme ?

— Cet homme, dit-il pour dire quelque chose, il a dû tomber dans les escaliers.

— Il est tombé, oui, fit Ixworth en le regardant fixement comme s'il attendait beaucoup plus que ce que Gray ne pouvait donner. Tombé après avoir été frappé sur la tête avec un fer à repasser.

Gray baissa les yeux sur sa main droite et sur l'ampoule qui s'était transformée en un cal jaunâtre et craquelé. Il tourna sa paume vers le bas lorsqu'il s'aperçut que Ixworth la regardait aussi.

— Vous voulez dire qu'il a été tué ici, ce type ? Qui c'était ?

— Vous ne savez pas ? Venez donc une minute.

Le policier le conduisit à la cuisine, comme s'il était chez lui et comme si Gray n'y avait jamais mis les pieds auparavant. Il ouvrit la porte de la cave tout en l'observant. L'interrupteur de l'escalier ne fonctionnait pas, ce fut donc à la pâle lueur de la cuisine qu'ils regardèrent dans les profondeurs en direction de la tache brune.

Il était étrange qu'il se sentît tellement menacé, tellement contraint de demeurer sur la défensive alors qu'il n'avait rien à voir avec tout ça. Ou était-ce que « chaque mort est un peu de moi qui s'en va » ? Il ne sut que dire.

— Alors comme ça, il est tombé là.

— Oui.

Gray réalisa soudain qu'il n'aimait pas du tout le ton de ce type, cette sorte d'attente, d'accusation qui pointait dans sa voix. Presque comme si Ixworth le cuisinait pour obtenir une forme d'aveu, comme si, bizarrement, l'action de la police était bloquée jusqu'à ce qu'il reconnaisse une quelconque faute ou omission : ne pas avoir pris les précautions appropriées contre ce genre de chose, par exemple, ou dissimuler volontairement des renseignements capitaux.

— Je ne suis au courant de rien, moi. Je ne comprends même pas ce qui a pu l'attirer par ici.

— Ah ? Vous n'êtes donc pas sensible aux charmes d'un petit cottage en bois situé dans une forêt encore intacte ?

Exaspéré par cette description inepte, Gray se détourna. Il ne voyait pas l'intérêt d'en savoir davantage. L'identité de l'intrus, ce qu'il faisait, ne le concernait pas, sa mort était une horreur qui semblait ne fournir à Ixworth que prétexte à regards inquisiteurs et paroles sybillines. Et les insinuations du policier avaient été si narquoises que Gray tressaillit lorsque celui-ci jeta, avec une sèche brutalité :

— Pourquoi êtes-vous revenu, samedi ?

— A cause d'un chien.

— D'un *chien* ?

— Oui. Vous ne croyez pas qu'on pourrait repasser dans l'autre pièce ? (Il se demanda pourquoi il lui fallait la permission d'Ixworth. Le policier acquiesça de la tête et referma la porte de la cave.) Je suis parti en France en oubliant que quelqu'un avait laissé un chien, un labrador beige, enfermé dans ma cuisine. Quand je me suis aperçu de ce que j'avais fait, j'ai appelé de France quelqu'un que je connaissais pour lui demander de libérer le chien et de l'emmener chez un vétérinaire. (Gray se félicita, dans son for intérieur, d'avoir su éviter de préciser qu'il s'agissait d'une femme : Drusilla n'aurait guère apprécié être impliquée par lui dans cette affaire.) C'était vraiment une bêtise de ma part. (Il réalisa soudain combien tout ceci devait paraître idiot, vu de l'extérieur.) Le chien est mort, poursuivit-il, mais... eh bien avant ça, samedi, le véto a voulu me voir. Il s'appelle Cherwell et habite au 21 George Street, à Leyton.

Ixworth nota l'adresse.

— Vous lui avez parlé ?

— Je ne l'ai pas trouvé. J'ai seulement vu une femme au 49 George Street à Leyton*stone*. Il devait être juste un peu plus de 3 heures.

— Tout ça n'est pas très clair, Mr Lanceton. Pourquoi donc êtes-vous allé à Leytonstone ?

— Parce que je me suis trompé.

— Vous semblez faire beaucoup d'erreurs.

— Et alors ? fit Gray avec un haussement d'épaules. Le fait est que je ne suis pas arrivé ici avant 6 heures.

— 6 heures ? Mais qu'est-ce que vous avez fabriqué pendant tout ce temps ? Vous avez été manger quelque part, vous avez rencontré quelqu'un ? En quittant Leytonstone à 3 heures et demie, un bus ou deux et vous étiez ici en trois quarts d'heure.

— Il y a long à marcher et j'ai pas de quoi me payer le taxi, répondit-il plus sèchement cette fois. Et puis je suis retourné à Londres pour prendre le train.

— Avez-vous rencontré ou parlé à quelqu'un ?

— Je ne me rappelle pas, non. Sauf quand je suis

arrivé ici, j'ai vu un vieux qui s'appelle Tringham. Il habite au début du chemin.

— Nous avons déjà interrogé Mr Tringham. Il était 6 h 5 quand il vous a parlé, ce qui ne nous avance guère.

— Non? fit Gray. Alors je ne vois pas comment je pourrais vous aider.

— Vous n'auriez pas une petite idée à vous, par exemple?

— Eh bien ils devaient être deux, parce que Mr Tringham a vu un autre type.

— Oui, il nous l'a dit. (Ixworth en revint à sa façon première de parler, plus indifférente, laconique, comme s'il avait cessé de s'intéresser à Gray.) La forêt est remplie de pique-niqueurs, en cette saison.

— Mais vous allez sûrement essayer de retrouver l'autre homme?

— Certainement, Mr Lanceton. (Il se leva.) Nous le trouverons, soyez sans crainte. En attendant, vous n'avez plus de petite balade en France de prévue, j'espère?

— Non, répondit Gray, surpris. Qu'est-ce que j'y ferais?

Il raccompagna le policier à la porte. Lorsque les phares se furent évanouis, la forêt se retrouva plongée dans les ténèbres impénétrables. Le ciel, sans lune et sans étoiles, était d'un noir d'encre, sauf à l'horizon où les lumières de Londres y projetaient un voile rouge sale.

Il était près de 10 heures. Gray fit du thé et, tandis qu'il le buvait, l'irritation et l'humiliation causées par l'interrogatoire d'Ixworth commençèrent à s'estomper, à s'éloigner dans son esprit. A devenir moins réelles à mesure qu'il se replongeait dans ses rêves à lui, ceux qui lui importaient suprêmement.

L'ampoule du « salon », l'une des seules à fonctionner encore dans la bicoque, se mit à trembloter. Elle jeta fièrement ses derniers feux et rendit l'âme avec un sifflement. Il dut composer le numéro de Combe Park dans le noir mais, comme il l'avait prévu, ses doigts trouvèrent automatiquement les bons trous du cadran.

Pas de réponse. Pas plus qu'à minuit, lorsqu'il essaya pour la dernière fois. Mardi était passé.

18

Gray, Microbe et Drusilla voyageaient ensemble dans un car de tourisme, sur une route qui traversait une sombre forêt. Le couple était assis devant, Gray derrière eux. Elle portait sa robe de batiste grège, et sa bague d'améthyste luisait à son doigt. Ses cheveux étaient une corolle rouge, un chrysanthème avec des pointes de feu au bout de ses pétales. Il lui toucha l'épaule et lui demanda comment il se faisait qu'elle avait au doigt la bague d'améthyste qu'elle avait vendue. Mais elle ne lui prêta pas la moindre attention, ne l'entendit pas.

La forêt s'éclaircit et s'ouvrit sur une plaine. Aux panneaux routiers, il comprit qu'ils étaient en France. Mais lorsqu'ils arrivèrent à Bajon, ce ne fut pas devant L'*Ecu d'Or* qu''ils s'arrêtèrent, mais devant l'hôtel *Oranmore* de Sussex Gardens. Dans une main, Microbe tenait la valise contenant sa collection de pièces, de l'autre il entraînait une Drusilla passive et soumise en haut des marches du perron, la faisait passer sous l'enseigne lumineuse et pénétrer dans l'hôtel. Il s'apprêtait à les y suivre, mais les pans de verre de la porte se refermèrent devant lui et c'est en vain qu'il tambourina pour qu'on le laisse entrer. Drusilla tourna juste une fois la tête avant de monter.

Elle tourna la tête et murmura : « Au revoir, Gray, au revoir. »

Après cela, il se réveilla et ne put se rendormir. La lumière douce d'un soleil voilé baignait la pièce. Il était 8 heures et demie. Il alla regarder par la fenêtre. La brume était toujours là, mais fine, à présent, diaphane. Traversée de rayons dorés, elle étendait son tulle contre un ciel d'azur.

Les événements de la veille lui revinrent peu à peu à l'esprit. Ce qui était arrivé et ce qui n'était pas arrivé. Il s'étira en frissonnant, bien peu reposé par ses huit heures de sommeil encombré de rêves. Il descendit au rez-de-chaussée. La cuisine commençait à s'emplir de rayons de soleil filtrés par les feuilles et, pour la première fois, ne sentait pas le renfermé : de l'air frais pénétrait avec les rayons par la vitre brisée. Gray mit la bouilloire sur le feu en pensant à la bizarrerie des choses : depuis Noël, les jours avaient défilé dans la plus grande monotonie, sans qu'il se passât jamais rien, et voilà qu'une semaine était venue, où l'horreur et la violence s'étaient concentrées. N'était-ce pas Kafka qui avait dit qu'on pouvait se refermer sur soi, se barricader tant qu'on voulait, la vie viendrait toujours dérouler un tapis d'extase à nos pieds ? Drôle de vie et drôle d'extase, cependant. C'était loin d'être ce qu'il avait envisagé.

Il ne comprenait pas comment les intrus avaient pu entrer dans la maison. Les portes avaient été verrouillées et la clé de réserve était alors suspendue au-dessus de l'évier. La police ne viendrait sans doute plus l'ennuyer, maintenant qu'on savait qu'il était absent au moment des faits et ne pouvait être d'aucune utilité. Comme c'était étrange : samedi il avait été déçu, amer, de ne pas trouver Drusilla ici, et, à présent, il était heureux que grâce à Dieu elle n'y eût point été lorsque ces hommes s'étaient introduits dans la bicoque.

Il allait essayer de l'appeler une dernière fois, et s'il n'obtenait pas de réponse, il faudrait qu'il songe à d'autres manières de la joindre. Pourquoi ne pas demander aux voisins, après tout? Il finirait bien par trouver quelqu'un qui saurait où Microbe et elle étaient allés. La femme de ménage viendrait, qu'ils soient partis ou non, et elle serait forcément au courant. Il composa le numéro juste avant 9 heures, laissa sonner — cette fois sans trop de surprise et de déception —, raccrocha et se fit du thé. Tandis qu'il grignotait quelques tranches de pain tartinées de vieux beurre rance, le téléphone sonna.

C'était elle à coup sûr, qui d'autre pouvait savoir qu'il était rentré? Il avala une bouchée de pain tout entière et répondit.

— Mr Lanceton? fit une voix féminine qu'il ne reconnut tout d'abord pas. Graham Lanceton?

— Oui, répondit-il sourdement.

— Ah, *bonjour*, Graham! Je ne pensais pas que c'était vous. Eva Warriner, à l'appareil.

La mère de Mal. Que voulait-elle?

— Comment allez-vous, Mrs Warriner?

— Très bien, mais j'ai été très attristée par la nouvelle du décès de votre mère. C'est très gentil à vous de m'avoir écrit. Je ne savais pas qu'elle était si malade. Nous étions très proches, dans le temps, et je l'ai toujours considérée comme une de mes meilleures amies. J'espère qu'elle n'a pas trop souffert?

Gray ne sut que répondre. Sous le choc de la déception, il dut faire effort pour articuler quelques mots.

— Pendant les derniers temps, si, parvint-il à dire. Elle ne m'a pas reconnu.

— Quelle tristesse pour vous! Comme vous avez

indiqué que vous seriez de retour à la fin de la semaine, je voulais juste vous téléphoner pour vous dire combien j'étais navrée. Oh ! j'ai appelé Isabel Clarion, aussi, pour lui en faire part. Elle m'a dit qu'elle n'avait eu aucune nouvelle de vous.

— *Isabel?* cria-t-il presque. Comment ça ? Elle est déjà rentrée d'Australie ?

— Euh, oui, Graham, dit Mrs Warriner, il faut croire. Elle ne m'a pas parlé d'Australie, mais on n'a guère pu discuter : les ouvriers faisaient un tel raffut, chez elle, qu'on n'arrivait pas à s'entendre.

Il s'assit lourdement, passa ses doigts sur son front brûlant.

— Elle va sans doute essayer de me joindre, répondit-il faiblement.

— Certainement. N'est-il pas merveilleux que Mal rentre en août ?

— Oui. Oui, c'est super. Euh... Mrs Warriner, est-ce qu'Isabel n'a pas parlé de... Et puis non, peu importe.

— Elle n'a pratiquement rien dit, Graham.

Mrs. Warriner commença à évoquer les souvenirs de son amitié avec Enid, mais Gray l'interrompit aussitôt qu'il put décemment le faire et lui dit au revoir. Il ne reposa pas le combiné sur sa fourche, mais le laissa pendre comme si souvent par le passé. Cela ferait au moins un moment barrage à Isabel, Isabel qui n'avait passé qu'à peine une semaine en Australie. Elle avait dû s'enguirlander avec son ancienne partenaire, ou ne pas supporter le climat, un truc de ce genre. Il se souvint vaguement d'avoir lu quelque chose sur des inondations, là-bas, dans le journal d'Honoré, lors de cette affreuse nuit où il avait réalisé que Didon devait être seule dans la bicoque. C'était sûrement ça : inquiétée par ces inondations, Isabel était rentrée par le premier avion. Elle avait donc dû arriver hier, et viendrait récupérer sa chienne aujourd'hui...

Evidemment il serait bien obligé d'avouer, tôt ou tard. Il le savait, alors autant en finir. Mais pas aujourd'hui. Aujourd'hui, il avait à mettre de l'ordre dans sa vie et dans celle de Drusilla, il fallait qu'il la retrouve, qu'il la récupère. Il jeta un coup d'œil en direction du combiné qui se balançait toujours comme un pendule. Encore une tentative, peut-être : la femme de ménage serait arrivée, à cette heure-ci.

Cinq, zéro, huit, et les quatre autres chiffres. Les doubles sonneries commencèrent. A la cinquième, on décrocha. Gray retint son souffle, les doigts de sa main gauche se crispèrent contre sa paume, les ongles s'enfoncèrent dans sa chair. Ce n'était pas elle, mais au moins, il y avait quelqu'un. Enfin une voix humaine dans cet endroit muet.

— Combe Park.

— Je voudrais parler à Mrs Janus.

— Mrs Janus est absente, je suis la femme de ménage. Qui est à l'appareil ?

— Quand rentrera-t-elle ?

— Alors là, j'en sais rien. Qui est à l'appareil ?

— Un ami, répondit Gray. Mr et Mrs Janus sont-ils partis en vacances ?

La femme eut un raclement de gorge.

— Oh ! mon Dieu..., fit-elle. Je ne sais pas si je dois... (Puis, sur un ton bourru :) Mr Janus nous a quittés.

Il ne réalisa pas. Tout juste cela lui rappela-t-il le maire et ses euphémismes polis.

— Qu'est-ce que vous dites ?

— Que Mr Janus nous a quittés.

Il entendit les mots, mais ils mirent un temps infini à se déplacer jusqu'à son cerveau, comme le font les paroles de ce genre, les paroles qui véhiculent l'inimaginable.

— *Vous voulez dire qu'il est mort?*

— C'est pas à moi d'en causer. Tout ce que je sais, c'est qu'il nous a quittés, qu'il est mort, comme vous dites, et que Mrs Janus est partie chez ses parents.

— Mort..., répéta-t-il. (Puis, raffermissant sa voix:) Connaissez-vous leur adresse?

— Non. Mais encore une fois, qui est à l'appareil?

— Peu importe, dit Gray, ça ne fait rien.

Il se dirigea très lentement vers la fenêtre et, comme s'il était à moitié aveugle, ses yeux ne virent, à la place de la forêt, que le flamboiement du soleil par-dessus des ondulations d'ombre bleuâtre. Microbe Janus est mort, dit son cerveau. Les mots descendirent jusqu'à ses lèvres et il les prononça à voix haute, avec étonnement: Harvey Janus, le riche Harvey Janus, l'ogre Harvey Janus, est mort. Le mari de Drusilla est mort. A mesure que le choc initial s'estompait, les syllabes, les pensées se mirent à prendre forme, à prendre sens, à exprimer des faits. Microbe Janus, le mari de Drusilla, est mort.

Quand était-ce arrivé? Dimanche? Lundi? Peut-être même mardi, le jour où elle devait le rejoindre. Voilà qui expliquait son absence en tout cas, et même le fait qu'elle n'ait pas appelé. Revenant peu à peu de sa stupéfaction, il essaya d'imaginer ce qui avait pu se passer. Microbe avait dû avoir un infarctus. C'était fréquent, chez les obèses, les viveurs de son âge. Peut-être cela s'était-il produit à son bureau ou pendant qu'il conduisait la Bentley, et elle avait été prévenue soit par ses collègues, soit par la police. Elle n'avait pas aimé son mari, mais le choc avait dû être rude malgré tout, et elle avait eu besoin d'être seule.

Elle avait alors appelé ses parents, son père qu'elle

adorait et sa mère dont elle ne parlait jamais. Il était difficile d'imaginer une mère à Drusilla, elle semblait née directement d'un homme. Ils avaient dû l'emmener chez eux. Il s'aperçut alors qu'il ne connaissait ni leur nom, son nom de jeune fille, ni leur lieu de résidence, sinon que c'était quelque part dans le Hertfordshire. Mais cela expliquait son silence. En tout cas. Il n'avait plus qu'à attendre.

— Ça serait chouette s'il mourait, non? avait-elle dit. Il pourrait avoir un infarctus ou un accident de voiture.

Alors voilà, elle avait eu ce qu'elle voulait. Microbe mort, elle aurait Combe Park et tout l'argent pour elle. Il se souvint qu'elle avait dit qu'elle le lui donnerait, quand cela arriverait, qu'ils partageraient, le mettraient sur un compte joint et en vivraient heureux pour toujours. Il l'avait désiré, bien sûr, mais à condition de l'obtenir de manière plus ou moins légitime. Son désir avait culminé en ce jour de printemps où, devant le portail de Combe Park, il avait vu les jonquilles dresser leurs corolles ciselées à l'or fin. Etrange! Maintenant que l'impossible s'était produit, que Microbe était mort et que tout cela allait leur appartenir, à elle et à lui, il n'en avait plus la moindre envie.

Il analysa ses sentiments. Non, il n'était pas heureux, il ne pouvait se réjouir de la mort de quelqu'un. Il n'était certes pour rien dans le décès de Microbe, pas plus que dans celui de l'homme tombé dans l'escalier de sa cave, et pourtant il sentait une chape de plomb, une sorte de désespoir s'abattre sur ses épaules. Etait-ce parce qu'au plus profond de lui-même, il avait en fait souhaité la mort de Microbe? Ou pour une autre raison qu'il ne pouvait définir? Les deux fatalités semblaient se rejoindre, se dresser entre Drusilla et lui en un seul et unique fantôme.

Toute cette tension laissait sur lui une odeur âcre de transpiration. Il retourna dans la cuisine et mit de l'eau à chauffer pour prendre un bain. Il avait beau rechercher une éclaircie de bonheur et de soulagement qui pût chasser ses idées dépressives, il ne parvenait à penser qu'aux chocs répétés auxquels il avait été exposé. Il ne pourrait en supporter davantage. Un autre coup lui serait fatal.

Il souleva le couvercle de la baignoire et en extirpa le paquet de draps et de serviettes qui sentaient le moisi. Le pantalon maculé de boue qu'il y avait mis samedi n'était plus là, mais sa disparition ne l'inquiéta pas : trop de choses étranges se produisaient dans son petit monde pour qu'il s'en préoccupe. Il versa l'eau bouillante dans la baignoire, puis un seau d'eau froide et entra dans le bain. Tout en se savonnant, il pensa à la mort de Microbe. Au volant de sa voiture, peut-être? Il avait si souvent, dans ses rêves, vu cet accident, le sang et les flammes tacher de rouge l'herbe verte du rond-point. Ou était-il mort au lit après une soirée de beuverie tandis que Drusilla songeait à son amant, plongée dans un sommeil insouciant à moins d'un mètre de lui?

Il y avait bien d'autres possibilités. Mais la seule image s'imposant à lui, la seule qui avait force de réalité, était celle du corps recroquevillé de Microbe gisant au bas d'un escalier.

S'il se postait en haut du chemin juste avant midi, il parviendrait peut-être à attraper le laitier et à lui acheter un litre de lait. Le thé était la seule substance qu'il pensait pouvoir avaler. La nourriture des sacs à provisions avait une odeur désagréable, et rien que leur vue lui donnait la nausée. Tout le rez-de-chaussée de la bicoque semblait imprégné de mort, celle de l'intrus, celle de Microbe, celle de la chienne, alors que pourtant les pièces étaient inondées de soleil. Gray ne se souvenait pas y avoir vu l'air aussi léger et lumineux. Mais il n'avait qu'une envie : sortir. Seulement s'il sortait, aurait-il le courage de revenir ? Ou errerait-il dans les clairières de la forêt jusqu'à ce que, terrassé de fatigue, il s'allonge et s'endorme, peut-être à jamais ?

Les chances qu'elle appelle semblaient très faibles, à présent. Il s'écoulerait du temps avant qu'il ait de ses nouvelles, et il ne pouvait supporter l'idée de ces journées vides passées à attendre, attendre, à laisser la tension monter en lui pour finir par craquer avant même qu'elle ne se manifeste.

Il monta à l'étage et enfila la chemise sale qu'il avait quittée la veille au soir. Le bruit d'une voiture, tout en haut du chemin, le pétrifia tandis qu'il se peignait. Il interrompit son geste, peigne levé, et attendit que le léger murmure s'amplifie en un puissant vrombissement de Jaguar de sport. Il avait dépassé le stade où sa venue l'emplirait de joie. Toutes ces morts, tous ces désenchantements, ces chocs, ces coups infligés à son esprit lui avaient ôté toute possibilité d'euphorie devant leurs imminentes retrouvailles. Mais il tomberait dans ses bras et l'étreindrait en silence lorsqu'elle arriverait.

Ce n'était pas encore pour cette fois. Le bruit de moteur s'était mué en un ronronnement plus léger et plus hoqueteux de petite voiture. Gray s'approcha de la fenêtre et regarda au-dehors. Une grande partie du chemin était masquée au niveau du sol par les fougères et au-dessus par les branches basses des arbres, mais il restait suffisamment d'espace entre les deux pour pouvoir distinguer la forme et la couleur d'une voiture. La Mini rouge vif vint se ranger sur le bas-côté encore glaiseux et s'arrêta.

Isabel.

Son premier réflexe fut d'aller se terrer dans la chambre d'ami et de s'allonger par terre jusqu'à ce qu'elle s'en aille. Il y a en chacun de nous un enfant effrayé qui ne demande qu'à resurgir. Notre degré de maturité correspond à notre capacité de l'obliger à rester coi, confiné, invisible. A ce moment précis, l'enfant qui habitait Gray faillit rompre ses liens, mais à près de trente ans, celui-ci parvint — tout juste — à le maîtriser. Isabel s'en irait peut-être, mais elle reviendrait, sinon aujourd'hui du moins demain, et sinon demain, vendredi. Même en état de faiblesse — il tremblait, à présent —, il devait faire face et lui avouer sa faute. Ce ne serait ni en se cachant, ni au contraire par l'insolence ou la bravade qu'il minimiserait la portée de son acte.

Elle était en train de descendre de voiture. Dans la bande inondée de soleil qui séparait le vert sombre des fougères de celui, plus tendre, du feuillage, il la vit, vêtue d'un corsage rose et d'un pantalon bleu ciel, extirper son corps massif de derrière le volant. Elle portait de grosses lunettes de soleil à monture irisée. Les cercles sombres de ses verres s'élevèrent en direction de la fenêtre et Gray se détourna vivement.

Il se recula jusqu'à la porte de l'escalier et resta figé, essayant de se dominer, les poings serrés. Il était encore un enfant. Pendant plus de la moitié de sa vie, il s'était débrouillé tout seul. Il avait fait de bonnes études, écrit un livre à succès, été l'amant de Drusilla, mais il était encore un enfant, et plus que jamais dans cet entourage d'adultes, Honoré, feue Enid, Mrs Warriner, Isabel. Même de se dire qu'il refusait de transiger et de se plier à leur façon de voir ou d'agir, qu'il voulait rester honnête avec lui-même, c'était gamin, car ce défi, cette rébellion étaient tout aussi puérils que la soumission. En un éclair, il en fut plus conscient que jamais auparavant. Un jour, pensa-t-il, quand ce présent et son cortège d'horreurs seraient relégués dans le passé, quand il aurait surmonté ou traversé ces épreuves, il se souviendrait, et alors il grandirait...

Dévoré d'angoisse, la nausée déjà au bord des lèvres, il descendit et ouvrit la porte d'entrée. Isabel était encore à sa voiture, occupée à sortir du lait et des articles d'épicerie du coffre, leva la tête et lui adressa un signe de la main. Il s'avança vers elle.

Mais avant qu'il fût parvenu à mi-chemin dans l'allée, avant même que sa gorge nouée eût laissé passer un seul mot, le rideau de fougères se fendit, se déchira avec un craquement comme un sac de toile, et le grand chien doré sauta vers lui. La violence de son élan fut tempérée par la chaleur humide de sa langue et par la joie qu'exprimaient ses bons yeux doux.

19

L'air éclatant de lumière vacilla. Les myriades de feuillages, d'un vert tendre et soyeux, duveteuses, infiltrées de soleil, dentelées, tourbillonnèrent autour de lui, le sol sembla se soulever en une vague rigide. Il parvint tout juste à conserver son équilibre, ferma les yeux sur cette frémissante radiance vert et or, plongea ses doigts dans la fourrure chaude, étreignit la chienne, la serra contre son corps tremblant.

— Didon ! appela Isabel. Laisse Gray tranquille, ma chérie.

Il ne pouvait articuler un mot, abasourdi. Toutes ses émotions, toutes ses pensées étaient cristallisées autour de cette phrase unique, incroyable : elle est vivante, la chienne est vivante. Il passa ses mains sur la tête de Didon, en suivit le dessin parfait, comme un aveugle sur le visage de la femme qu'il aime.

— Ça va, Gray ? Tu n'as pas l'air dans ton assiette. Tu commences à réaliser ce que tu as perdu, je suppose.

— Qu'est-ce que j'ai perdu ?

— Ta mère, voyons, mon grand. Mrs Warriner m'a appris la nouvelle, hier soir, alors j'ai tenu à venir te voir à la première heure. Tu devrais t'asseoir, j'ai bien cru que tu allais t'évanouir.

Gray aussi, l'avait bien cru. Même à présent que le choc initial était passé, il avait du mal à conserver son équilibre. En même temps qu'il suivait Isabel dans la maison, il essaya de se diriger à tâtons le long de cet autre chemin qui aurait dû mener vers les profondeurs de son esprit. Mais il se heurta à un mur nu. Son passé et sa mémoire étaient devenus terre étrangère, toute logique avait disparu. Perdus aussi les mécanismes de pensée qui permettent à l'individu de se dire qu'il s'est produit ceci, donc ceci et cela aussi. Son esprit était une page blanche avec une seule phrase inscrite dessus : la chienne est vivante. Et voici qu'à présent, d'autres mots s'y rajoutaient : la chienne est vivante et Microbe Janus est mort.

Isabel s'était déjà installée dans le « salon » et déversait des platitudes sur la vie, la mort et la résignation. Gray s'assit précautionneusement dans l'autre fauteuil comme si son corps, tout autant que son esprit, devait être manié avec prudence. Toute précipitation, tout rudoiement seraient dangereux car, juste au-dessous de la surface, un cri était prêt à jaillir. Il passait ses mains dans la fourrure de Didon. Elle était bien réelle, plus de doute, à présent. Peut-être était-elle la seule chose réelle dans ce chaos.

— Finalement, ça a dû être une délivrance, disait Isabel. (Il leva les yeux vers elle, vers cette masse floue de rose et de bleu qu'était sa marraine, et se demanda de quoi elle parlait.) Ah ! je vois que tu raccroches ton téléphone, maintenant. A quoi ça sert d'en avoir un si tu laisses toujours décroché ?

— A rien, convint-il poliment. (Il fut surpris de parvenir à émettre quelque son que ce soit, et encore plus à former des phrases. Il continua, non qu'il eût quelque chose à dire, mais juste pour se prouver qu'il pouvait le faire.) Des fois, je me demande pourquoi j'en ai un, je me demande vraiment. Je pourrais tout à fait m'en passer.

— Pas la peine de te fiche de moi, Gray, jeta sèchement Isabel, tu n'as aucune raison de m'en vouloir. La première chose que j'ai faite, dès que j'ai su que je ne pouvais pas aller en Australie, c'est de t'appeler. Parce que quand les journaux ont parlé de ces inondations et que Molly m'a télégraphié que sa maison avait été littéralement submergée, j'ai pensé qu'il valait mieux ne pas partir. Alors j'ai essayé de te joindre le vendredi et Dieu sait combien de fois le samedi, mais j'ai dû renoncer, la mort dans l'âme. Je me suis dit que tu comprendrais quand tu verrais que je n'étais pas venue avec Didon.

— Oui, fit Gray. Oh ! oui.

— Bon. Et d'ailleurs, heureusement que je ne suis pas partie, parce que tu avais bien assez de soucis avec le décès de ta pauvre maman sans avoir Didon sur les bras par-dessus le marché — allons, couchée, ma chérie, tu t'énerves. Je vais écrire à Honoré aujourd'hui, pauvre homme, lui dire que je t'ai vu et combien tu es bouleversé. Ça fait toujours du bien de savoir les autres malheureux, pas vrai ?

Ce trait grossier de sadisme mental, qui aurait en d'autres temps fait sourire Gray, lui passa par-dessus comme presque tout le reste des paroles d'Isabel. Tandis qu'elle dévidait son babil, il resta aussi immobile qu'une pierre, dans son fauteuil. Ses mains avaient cessé de caresser Didon qui s'était affalée en une masse somnolente à ses pieds. La mémoire commençait à lui revenir, à présent, à lui assener de douloureux coups de boutoir.

— Elle est morte ? avait-il demandé, remettant son sort entièrement entre ses mains.

— Non, elle vivait encore — tout juste.

Sa main retomba, caressante, sur la fourrure de

Didon, comme pour s'assurer de sa matérialité. Et la chienne tourna la tête vers lui, ouvrit les yeux et le lécha.

— J'ai emporté du lait et du poulet. J'avais un peu la trouille d'ouvrir la porte de la cuisine, mais il n'y avait vraiment pas de quoi : elle était trop faible pour bouger, pauvre bête. On devrait t'enfermer dans une cellule, on verrait ce que tu dirais.

Oh ! Drusilla, Drusilla...

— D'ailleurs, peu importe : il a fallu piquer le chien.

— Oh ! Dru, non...

— Bref, mon grand, fit Isabel en reprenant son souffle, tu peux récupérer ta clé, maintenant. Voilà, je vais la remettre à son clou, d'accord ?

— Je vais le faire.

Une vieille clé toute noire, pareille à celle qu'il avait toujours sur lui.

— Et mets la bouilloire, Gray. J'ai apporté du lait au cas où tu n'en aurais pas. Prenons une tasse de thé, et puis j'irai à Waltham Abbey faire des courses pour notre déjeuner. Je suis sûre que tu n'es pas en état de t'occuper de toi-même.

Pas en état...

— Je suis repassée à la bicoque et je t'ai fait un peu de ménage, avait-elle dit.

— Du ménage ? Mais pourquoi ?

— Ce que je fais pour toi, pourquoi est-ce que je le fais ? Tu ne le sais pas encore ?

La clé brillante, celle de Drusilla, pendait au clou, brillante comme de l'or au soleil. Elle avait laissé sa clé et dit au revoir. Seul, débarrassé un moment de la présence d'Isabel, il appliqua son visage, son front, contre le mur frais et humide et le cri s'exhala dans la pierre, déchirant, incrédule, silencieux.

— Oui, je t'aime. J'ai décidé que si tu voulais

toujours de moi, je quitterais Microbe et je viendrais vivre avec toi.

Je t'aime... Non, murmura-t-il, non, murmura-t-il, non, non. Au revoir, Gray, au revoir. Je ne change jamais d'avis. Ponctuelle, intransigeante, déterminée quand elle s'était fixé un but, elle allait toujours au bout des choses. Mais ça...?

Le roux de ses cheveux, de sa fourrure, ces volutes de parfum qui s'élèvent comme une fumée, ce rire de gorge si profond — tous ces souvenirs tourbillonnèrent puis se cristallisèrent en une dernière image d'elle, aussi dure et froide que le contact de la pierre contre son front.

— Une bouilloire qu'on surveille ne doit jamais bouillir, mon grand, fit gaiement Isabel, dans l'encadrement de la porte. (Elle posa un regard interrogateur sur son visage hébété.) Une voiture s'est arrêtée devant ton portail. Tu attends quelqu'un?

Lui qui avait tant versé dans l'optimisme, qui avait supposé avec une foi inébranlable que toute voiture était celle de Drusilla, toute sonnerie du téléphone un appel de Drusilla, n'attendait plus rien, cette fois. Ce désespoir profond, accablant, c'était ça la réalité de son existence. Il ne la reverrait jamais plus. Elle avait laissé sa clé et dit au revoir. Par cette froide et machiavélique trahison, et avec peut-être la volonté de se venger, elle l'avait anéanti. Sans un mot, il passa devant Isabel et alla ouvrir à Ixworth. Il jeta un regard muet, mais dénué d'effroi ou même de surprise, sur le policier dont l'arrivée semblait s'inscrire dans l'ordre normal et logique de cette suite d'événements. Sans un mot parce qu'il n'avait rien à dire, parce qu'il pensait que maintenant toute parole serait vaine. Parce que de toute façon les choses se dérouleraient selon le schéma qu'elle avait prévu.

— Vous avez pris un bain de soleil ? dit Ixworth en montrant les fougères aplaties.

Gray fit non de la tête. C'était donc ça, la dépression nerveuse qu'il avait redoutée pendant tous ces mois ? Pas de crise de nerfs, pas d'hystérie effrénée ou de chagrin trop lourd à supporter, mais cette docile acceptation de son sort. Ce cri silencieux, libérateur, et puis l'acceptation. Simplement. Peut-être même dans un moment ressentirait-il une forme de bonheur... Il retint la chienne qui s'apprêtait à sauter affectueusement sur Ixworth.

— Un *autre* labrador jaune, Mr Lanceton ? Vous en faites donc l'élevage ?

— C'est le même, répondit Gray, indifférent à la gravité de ces paroles.

Il se tourna pour rentrer, sans se soucier qu'Ixworth le suive ou non, et faillit percuter Isabel.

— Alors, tu me présentes pas ? fit-elle d'une voix enjouée. Avec une attitude d'une puérilité grotesque, elle se mit à minauder devant l'austère inspecteur.

— Miss Clarion, Mr Ixworth, annonça Gray.

Il aurait voulu qu'ils s'en aillent tous les deux. Qu'ils s'en aillent et qu'ils le laissent avec la chienne. Il s'allongerait quelque part avec cette bonne Didon, mettrait ses bras autour d'elle, enfouirait son visage dans sa fourrure chaude qui sentait le foin.

Ixworth ignora les présentations.

— Il est à vous, ce chien ?

— Oui, répondit Isabel. Elle est superbe, hein ? Vous aimez les chiens ?

— Celui-ci paraît sympathique. (Les yeux de Ixworth obliquèrent sur Gray.) C'est cet animal que vous étiez censé garder ?

— Je suis sûre qu'il le fera quand je m'en irai vraiment. (Isabel semblait ravie de voir la conversation prendre un tour aussi agréable et amical.) Cette fois-ci, mon voyage est tombé à l'eau et la pauvre Didon a été privée de ses vacances à la campagne.

— Je vois. J'aurais préféré vous parler seul à seul, Mr Lanceton.

Aussi prompte à se fâcher qu'à s'emballer, Isabel eut un mouvement de tête hautain et écrasa sa cigarette d'un geste rageur.

— Je ne voudrais surtout pas vous déranger. Je file à Waltham Abbey faire les courses pour le déjeuner, Gray. Loin de moi l'idée de te détourner de ton ami.

Ces mots arrachèrent un léger sourire à Ixworth. Il attendit patiemment que la Mini se fût éloignée.

Gray regarda la voiture disparaître sur le chemin. Didon commença à gémir, les pattes posées sur le rebord de la fenêtre, le museau collé contre la vitre. C'est ainsi que les choses avaient dû se dérouler quand Isabel l'avait laissée ici, ce fameux lundi... sauf qu'elles ne s'étaient jamais produites, n'est-ce pas? Rien de tout ça ne s'était passé en vrai.

— Rien de tout ça ne s'est vraiment passé, hein? disait Ixworth. Toute votre histoire, à propos du chien, c'était de l'invention. D'autant que nous savons qu'aucun animal répondant à la description de celui-ci n'a été amené chez Mr. Cherwell jeudi.

Gray fit doucement coucher le chien. Il avait le soleil dans les yeux, aussi déplaça-t-il le fauteuil en dehors des aveuglants rayons obliques.

— Quelle importance? dit-il.

— J'aimerais bien savoir, fit le policier sur un ton à la fois perplexe et railleur, ce qui a de l'importance, pour vous.

Plus grand-chose, maintenant, songea Gray. Juste peut-être une ou deux petites choses, des questions auxquelles il ne pouvait lui-même fournir de réponse.

Mais son esprit, en se clarifiant, lui révélait des faits bruts qui ne déclenchaient en lui aucune réaction émotionnelle. La chienne n'était jamais venue ici. A partir de là, l'évocation dans ce nouveau contexte de certaines phrases de Drusilla — « Je ne change jamais d'avis, Gray » — lui permit d'entrevoir le plan qu'elle avait élaboré. De l'entrevoir sans amertume, de façon neutre, presque scientifique.

— Je croyais, dit-il, que Harvey Janus était un grand et gros type. Seulement je ne l'avais jamais vu, et je pensais qu'il avait une Bentley, pas la Mercedes qui se trouvait dans le chemin. Bizarre que ce soit justement parce qu'il *était* minuscule, qu'on l'a appelé Microbe. Vous voulez du thé ?

— Pas tout de suite. Je préférerais que vous poursuiviez, pour l'instant.

— Il n'y avait pas besoin de le droguer, je le comprends bien, maintenant. Tout ce qu'il fallait, c'était l'attirer ici. Facile, puisqu'il cherchait pour sa mère une maison dans la forêt. Et facile de maîtriser un homme aussi petit, n'importe qui aurait pu y arriver.

— Ah oui ?

— Elle avait encore sa clé, à ce moment-là. Mais je ne vois pas très bien... (Il s'interrompit, hésitant à la trahir bien qu'elle l'eût elle-même trahi.) Enfin, je suppose que vous avez parlé à Mrs Janus ? Et même... (Le peu d'émotion qu'il lui restait s'exhala en un soupir.) Et même que vous l'avez arrêtée ?

Le visage d'Ixworth changea. Son expression se fit dure, implacable, comme celle d'un flic de cinéma. Il prit sa mallette et sortit une feuille d'une chemise. Le papier flotta un instant dans le rayon de soleil lorsqu'il le tendit à Gray. Les mots dactylographiés dansèrent devant lui, mais il put néanmoins les lire : c'est lui qui les avait tapés.

Son adresse figurait en en-tête : *Le Cottage Blanc, Pocket Lane, Waltham Abbey, Essex.* Puis venait la date : *Le 6 juin.* Pas d'année. Tout en bas, sous ces mots terribles qu'il avait pensé jamais ne revoir : *Mr Harvey Janus, Combe Park, Wintry Hill, Loughton, Essex.*

— Vous avez lu ?

— Oh oui ! j'ai lu.

Mais Ixworth le fit néanmoins à voix haute.

— *Monsieur, Suite à votre annonce parue dans le* Times, *j'ai le plaisir de vous informer que je pense disposer exactement de ce que vous cherchez. Comme ma maison n'est pas très éloignée de la vôtre le mieux serait peut-être que vous veniez la voir sur place ? Samedi 4 heures me conviendrait très bien. Salutations distinguées.*

Francis Duval

C'était la première des lettres qu'ils avaient écrite.

— Où avez-vous trouvé ça ? demanda Gray. Ici ? Dans cette maison.

— Dans la poche intérieure de son veston, répondit Ixworth.

— C'est impossible, elle n'a jamais été postée. Ecoutez, je vais essayer de vous expliquer...

— J'aimerais bien, oui.

— Ce ne sera pas facile. Mrs Janus... (Il prononça son nom sans sourciller, mais il hésita sur la façon de formuler sa phrase.) Mrs Janus, recommença-t-il en se demandant pourquoi Ixworth fronçait les sourcils, vous aura sans doute dit que nous étions intimes, elle et moi. A un certain moment, elle a même voulu que... (Comment exprimer à ce juge impénétrable, au visage de marbre, ce qu'elle avait voulu ? Comment lui faire comprendre où s'était arrêté l'imaginaire et où avait commencé la réalité ?)... que je monte un bateau à son mari pour lui extorquer de l'argent, mentit-il maladroitement. Elle n'avait pas d'argent à elle, et moi, je suis toujours fauché.

— Nous sommes au courant de l'état de vos finances.

— Oui, vous semblez être au courant de tout. J'ai bien écrit cette lettre, et j'en ai écrit un tas d'autres que je n'ai jamais envoyées mais que j'ai conservées. Elles sont...

— Elles sont ?

— Non, je les ai brûlées, je m'en souviens maintenant. Mais celle-ci a dû... Pourquoi me regardez-vous comme ça ? Mrs Janus...

Ixworth récupéra la lettre et la replia.

— Je pensais vraiment qu'on avançait, Lanceton, jusqu'à ce que vous mettiez Mrs Janus sur le tapis. Laissez-la en dehors de ça : elle ne vous connaît pas, ni sous le nom de Duval ni sous celui de Lanceton.

La chienne s'éloigna de lui — presque un symbole — puis se recoucha et se mit à ronfler doucement. Ixworth ne s'était pas interrompu : imperturbable, il décrivait certains détails des événements du samedi après-midi. Des détails précis qui, par recoupement, l'amenaient à penser que Gray était arrivé à la bicoque juste avant 4 heures, avait accueilli Microbe Janus, lui avait fait visiter la maison, l'avait amené en haut de l'escalier de la cave... Un raisonnement qui se tenait, excepté qu'il était faux sur toute la ligne.

Gray ne chercha pas à nier, pourtant.

— Elle ne me connaît pas, répéta-t-il d'une voix éteinte.

— Laissez-la en dehors de tout ça. Le samedi après-midi, elle avait une leçon avec son professeur de tennis.

— Mais on a été amants pendant deux ans, fit

Gray, elle a même une clé de cette maison. (Non, ce n'était plus vrai...) Elle dit qu'elle ne me connaît pas ?

— Avez-vous des témoins pour prouver le contraire ?

Il resta silencieux. Non, pas de témoins. Personne ne les ayant jamais vus ensemble, leur liaison n'avait jamais existé. Pas plus que leur amour, pas plus que la mort du chien. Et pourtant...

— Pourquoi aurais-je tué Janus sinon pour sa femme ? demanda-t-il lentement, sur un ton neutre, dénué de toute émotion.

— Pour l'argent, pardi, répondit Ixworth. Nous ne sommes pas des gamins, Lancton. Vous non plus. Ne nous prenez pas pour des imbéciles : il était riche, et vous très pauvre. Je peux vous le dire : nous tenons de la police française que vous n'avez même pas touché un sou après le décès de votre mère.

Les cent livres... Y en avait-il eu davantage de cachées dans la maison ?

— Il avait apporté un acompte ?

— Bien sûr, et c'est là-dessus que vous misiez : Mr Janus avait la très imprudente habitude de toujours porter de grosses sommes d'argent sur lui. Ces choses-là finissent par se savoir, n'est-ce pas ? Même sans l'avoir vue, il était pratiquement décidé à prendre cette maison, et il voulait la retenir — avec du liquide. (Ixworth eut un haussement d'épaules de mépris.) Dire que vous vendiez quelque chose qui n'était même pas à vous ! Je suppose que vous avez consulté les vitrines d'agences immobilières pour savoir le prix qu'elle pouvait atteindre.

— Je sais combien elle vaut.

— Disons plutôt que vous saviez jusqu'à combien la cupidité humaine pouvait la faire monter. Nous avons retrouvé dans votre coffret de sûreté les trois mille livres que Mr Janus avait apportées avec lui, ainsi qu'un exemplaire du *Times* où son annonce avait paru. Le coffret était verrouillé et nous n'avions pas la clé, mais nous l'avons forcé.

— Mon Dieu, murmura tout doucement Gray, anéanti.

— Peut-être cela vous intéresse-t-il de savoir comment nous avons remonté jusqu'à vous. Très simplement, en fait : Mrs Janus savait où son mari était allé et combien d'argent il avait emporté. Elle a signalé sa disparition et nous avons vu sa Mercedes dans le chemin.

Gray hocha lentement la tête devant l'inexorabilité et l'habileté de la manœuvre. « On devrait t'enfermer dans une cellule », avait-elle dit. Peut-être avait-elle raison, peut-être y avait-il là, quelque part, une forme de froide justice. Il se sentit trop faible, trop désarmé pour se défendre. Il savait qu'il ne le ferait pas. Il devait se soumettre. Avoir accepté de taper ces lettres montrait qu'il en avait toujours souhaité le résultat. Ce n'était que sa conscience supérieure qui avait résisté, qui avait fait illusion. Il avait espéré la mort de Microbe et, pris dans les filets de Drusilla, autant fait qu'elle pour la provoquer. Qui donc avait tenu, déroulé, coupé le fil de son destin ? Un feu rouge ? Jeff ? Le responsable des achats de chez Ryman ? Qui avait décidé le mariage d'Honoré sinon ce coup de téléphone nocturne ? Et qui était responsable de la mort de Microbe sinon lui-même parce qu'il avait rencontré sa femme un soir d'hiver ? Qui d'autre que lui, Maître Charmant, son voisin ?

— Il va falloir qu'on enregistre votre déposition, dit Ixworth. Nous y allons ?

— On ne pourrait pas attendre le retour de Miss Clarion ?

— Repoussez juste la porte sans la verrouiller et

laissez-lui un mot, fit Ixworth sur un ton compréhensif, presque apitoyé. (Son regard qui, satisfait à présent, avait perdu son air narquois, se dirigea vers Didon.) Et le chien, euh... on n'a qu'à l'enfermer dans la cuisine.

Après

Dans la salle Alexander Fleming, à l'hôpital, il n'y avait que six lits. Le député hésita à l'entrée, puis se dirigea vers l'un d'eux, autour duquel les rideaux étaient tirés. Mais une infirmière l'intercepta avant qu'il n'y parvînt.

— Les visites pour Mr Denman sont limitées à dix minutes. Son état est encore jugé sérieux.

— Je ne resterai pas longtemps, promit Andrew Laud.

L'infirmière souleva l'un des rideaux. Le député se baissa avec appréhension pour passer, se demandant quel spectacle l'attendait. Un visage tout couturé? Une tête emmaillotée dans des bandages?

— Dieu soit loué, tu es venu, fit Jeff Denman. Je suis resté sur des charbons ardents toute la journée.

Le député le regarda: hormis sa pâleur et ses cheveux coupés à un centimètre du crâne, il avait son aspect de toujours.

— Comment vas-tu, Jeff?

— Bien mieux. Je vais m'en sortir, tu sais. Ça fait tout drôle de se réveiller un beau matin en se disant qu'hier était il y a six mois.

Le lit était couvert de journaux que l'infirmière empila bien soigneusement avant de s'éclipser. Le député vit sa photo sur celui du haut, sous le titre « Jugement en appel dans l'affaire du meurtre de la forêt : intervention d'un député ».

— Je n'ai pas fait grand-chose, dit-il. On m'a laissé voir Gray à deux reprises, mais il semble qu'il souffre d'une sorte d'amnésie sur ce sujet. Il ne peut ou ne veut pas se souvenir. Il ne parle que de sortir et de se remettre à écrire. Mais ça, bien sûr, à moins que cet appel...

— Je ne souffre pas d'amnésie, moi, l'interrompit Jeff, aussi extraordinaire que cela puisse paraître. (Il se redressa dans son lit, souleva douloureusement sa tête de l'oreiller.) Mais je ferais peut-être mieux de t'expliquer comment il se fait que je me retrouve ici.

— Tu l'as dit dans ta lettre.

— Il a fallu que je la fasse écrire par la sœur, et en plus, je n'avais pas les idées bien en place. Tu sais, quand j'ai repris connaissance et que j'ai lu les journaux, ça m'a filé un sacré choc. Je n'arrivais pas à croire que Gray ait écopé de quinze ans de prison pour meurtre, alors j'ai dicté cette lettre de façon totalement incohérente. J'ai prié le Ciel que tu me prennes au sérieux et que tu viennes. Passe-moi un peu d'eau, veux-tu ?

Andrew Laud lui approcha le verre des lèvres et le fit boire.

— J'ai compris que ta camionnette avait percuté un camion quelque part du côté de Waltham Abbey le 12 juin, que tu avais été gravement blessé. Il était clair d'après ta lettre que tu avais quelque chose d'important à me dire, mais tu ne m'as pas expliqué ce que tu fabriquais là-bas.

— Mon boulot, répondit Jeff. Déménager des meubles, ou du moins essayer de le faire. (Il toussa en portant ses mains à ses côtes.) Le dimanche avant l'accident, Gray m'avait demandé de déménager ses affaires le samedi, en disant qu'il me téléphonerait s'il avait un problème — il en a souvent, des problèmes. Mais il ne l'a pas fait, alors je suis venu comme promis. C'était le lendemain du jour où j'ai reçu ta lettre me conviant pour dîner : tu as bien dû te demander pourquoi je n'acceptais pas l'invitation de ta femme.

— Aucune importance. Raconte-moi ce qui s'est passé.

— Je suis arrivé là-bas vers 3 heures, fit Jeff qui s'exprimait lentement, mais avec clarté et cohérence. J'ai laissé la camionnette sur la partie empierrée du chemin parce que j'avais peur de m'embourber. Quand je suis arrivé au cottage, j'ai trouvé la clef sur la serrure avec un mot épinglé à côté. Il avait été tapé avec la machine de Gray — j'ai reconnu la frappe — mais n'était pas signé. Il disait quelque chose comme *Dois m'absenter un moment. La clef est sur la porte.* J'ai pensé que c'était pour moi, alors je suis entré pour me rendre compte de ce qu'il y avait à emporter — c'est du moins comme ça que j'ai interprété son message —, puis je me suis assis pour l'attendre. En fait, je suis allé partout dans la maison, et si la question se pose de savoir si Gray y était à ce moment-là, je peux t'affirmer que non.

— Tu sembles te souvenir très bien de tout.

— Sauf de l'accident, fit Jeff avec une grimace : là, c'est le noir total. Mais ce qui s'est passé avant est très clair dans mon esprit. Ça sentait le renfermé et le moisi, là-dedans, poursuivit-il après un silence. Alors vers 4 heures, je suis ressorti en laissant la clef et le message où ils étaient. J'ai voulu aller m'asseoir dans le jardin : les herbes étaient tellement hautes que j'ai préféré me balader dans la forêt, mais sans jamais perdre de vue le cottage : je commençais à en avoir marre de l'attendre, à ce moment-là, et je voulais en finir avec le boulot aussitôt qu'il rentrerait.

— Et il n'est pas venu ?

Jeff secoua la tête.

— Je me suis assis sous un arbre et j'ai décidé de lui accorder encore dix minutes avant de ficher le camp. A ce moment-là, j'ai vu deux personnes s'avancer sur le chemin.

— Ah ? (Le député se pencha pour se rapprocher du lit.) Et comment ? En voiture ? A pied ?

— A pied. Un tout petit mec qui pouvait avoir dans les quarante ans et une femme beaucoup plus jeune. Ils se sont dirigés vers la porte, ont lu le petit mot et sont entrés. Ils ne m'ont pas vu, j'en suis certain. C'est alors que j'ai réalisé que le message leur était destiné. J'ai trouvé ça tellement bizarre que je n'ai pas su quoi faire.

— Pourquoi ? fit le député. Je ne te suis plus.

— C'est que j'ai reconnu la fille, vois-tu, je l'avais déjà vue. C'était une ancienne petite copine de Gray, et je ne voyais pas ce qu'elle fichait là avec ce type qui était de toute évidence son mari. Il avait l'*air* d'un mari. Je me suis demandé s'ils ne venaient pas faire des histoires à Gray. Non, ne m'interromps pas, Andy, laisse-moi te raconter le reste. (La voix du malade commença à donner des signes de fatigue. Il reposa sa tête sur l'oreiller et fut secoué par une nouvelle quinte de toux sèche.) Je peux te dire exactement où et quand je l'ai vue : Gray l'avait ramenée à Tranmere Villas, un jour. Sally vivait avec moi, à l'époque. Prévenue par Gray, elle s'était éclipsée quand cette fille et lui se sont pointés, si bien qu'elle ne les a pas vus. Mais moi qui revenais du travail, je n'étais pas au courant. Quand je suis rentré, j'ai ouvert la porte de sa chambre sans frapper : il y avait un article sur son bouquin, dans le journal du soir, et j'étais tellement heureux que je me suis précipité pour le lui montrer. Je les ai surpris au lit en train de faire l'amour. Gray était tellement, euh... parti, disons, qu'il ne s'est même pas rendu compte de mon intrusion. Mais elle, si. Elle a levé les yeux et a souri d'un air moi-je-fais-tout-moi-je-sais-tout. Je suis ressorti aussi discrètement que j'ai pu.

Le rideau s'écarta.

— Juste deux minutes, Mademoiselle, implora Andrew Laud par-dessus son épaule à l'infirmière. Deux minutes et je promets de m'en aller.

— Mr Denman ne doit pas se surexciter.

— S'il y en a un qui est en train de se surexciter, ce serait plutôt moi, hein, Jeff? fit le député quand ils furent de nouveau seuls. Bon, reviens-en au 12 juin, veux-tu?

— Où en étais-je? Ah oui, j'étais assis sous l'arbre. Au bout d'un moment, un vieux bonhomme est arrivé sur le chemin, son bouquin à la main. Le gars que j'avais vu entrer dans le cottage est ressorti et a fait le tour en regardant les fenêtres. Je pensais qu'ils allaient partir, la fille et lui, et je m'attendais à la voir réapparaître elle aussi, mais non : il est rentré une fois de plus, et ce n'est que dix minutes plus tard que la fille est sortie — seule. Elle n'a pas remis la clef dans la serrure et le message avait disparu. Elle semblait secouée, Andy, elle flageolait sur ses jambes. J'ai failli l'appeler et lui demander si elle se sentait mal, mais je ne l'ai pas fait parce que je commençais à trouver tout ça plutôt louche. Elle a disparu dans la forêt, et je suis parti moi aussi, après. Je me suis dit qu'en passant par Waltham Abbey, je pourrais peut-être croiser Gray et le prévenir. Il y avait une grosse voiture verte garée près de la camionnette, mais je n'ai pas fait attention à la marque ou au numéro. Il devait être environ 4 heures et demie, parce qu'on m'a dit que j'avais eu mon accident à 5 heures moins 25. Et c'est tout. Depuis, je fais dodo, et tout ce que je viens de te raconter faisait dodo avec moi. Bon Dieu ! heureusement que j'ai pas cassé ma pipe, tu te rends compte ?

— Tu t'en es tiré et il n'y a plus de danger, maintenant. D'ailleurs, il va falloir que tu te retapes vite pour pouvoir raconter tout ça devant la cour d'appel. Dommage que tu ne saches pas qui était la fille.

— Mais si, je le sais, je ne t'ai pas dit ? (Jeff s'était rallongé, épuisé, le teint gris. Mais il continua à parler faiblement.) Je reconnaîtrais ce visage entre mille et je l'ai vu hier. Dans le journal : il y avait une photo de Mrs Drusilla Janus, ou plutôt de Mrs McBride, comme je devrais sans doute l'appeler. Le *Standard* a dit qu'elle avait épousé un professeur de tennis, le mois dernier. Bon, il va falloir que tu y ailles, maintenant, Andy. On reste en contact ?

Souriant et légèrement éberlué, le député se leva. Jeff sortit le bras de dessous son drap et, sans un mot, avec un peu de solennité, ils échangèrent une longue poignée de main.

Composition réalisée par COMPOFAC - PARIS

IMPRIMÉ EN FRANCE PAR BRODARD ET TAUPIN
Usine de La Flèche (Sarthe).
ISBN : 2 - 7024 - 2030 - 3
ISSN : 0297 - 7168

H 52/0161/1